ANNUS
Le génie de l'Année
El Jem
Musée d'El Jem (détail)

ANNUS
The genius of the Year
El Jem
El Jem Museum (detail)

Photos André Martin
Textes de Georges Fradier
D'après la documentation scientifique de
O. Ben Osman, E. Beschaouch,
S. Besrour, A. Ennabli, M. Ennaïfer,
M. H. Fantar et H. Slim.

ISBN 9973-700-82-1

6, Rue Alain Savary - 1002 Tunis
BP 56 Tunis Belvédère
www.ceres-editions.com

MOSAIQUES
ROMAINES DE TUNISIE

ROMAN MOSAICS
OF TUNISIA

ROMISCHE MOSAIKEN
IN TUNESIEN

LA DÉESSE AFRICA
ET LES SAISONS
El Jem
Musée d'El Jem

THE GODDESS AFRICA
AND THE SEASONS
El Jem
El Jem Museum

MOSAIQUES
ROMAINES DE TUNISIE

ROMAN MOSAICS
OF TUNISIA

ROMISCHE MOSAIKEN
IN TUNESIEN

LE DIEU OCÉAN
Themetra
Musée de Sousse

THE GOD OCEANUS
Themetra
Sousse Museum

L'AFRIQUE
El Jem
Musée d'El Jem (détail)

AFRICA
El Jem
El Jem Museum (detail)

MOSAIQUES ROMAINES DE TUNISIE

Parce qu'aucun pays ne possède autant de mosaïques que la Tunisie, parce qu'aucun n'aurait comme elle la munificence d'en distribuer, cadeaux royaux, sur tous les continents, on est tenté d'unir dans une singulière solidarité cet art et cette terre, comme on associerait joie de vivre et générosité. Il serait vain de se demander si, aux premiers siècles de notre ère, les habitants de cette petite Africa étaient plus prospères ou plus insouciants que nous. A en juger sur leurs arts décoratifs comparés aux nôtres on pourrait le croire : dans chaque mosaïque, jusqu'au VIe siècle, éclate une sorte de bonheur perdu, une solide gaieté, quelquefois naïve, d'autres fois concertée, peut-être artificielle, peut-être contrainte ; et même alors elle reste communicative comme est par nature celle du théâtre qui purge les passions et transfigure les destins médiocres. La mosaïque est un art, cela doit être répété pour ceux qui parleraient encore d'art mineur ; et c'est par conséquent une technique : dans son nom se cache celui des Muses. Mais on oserait dire que cet art, qui n'évite pas toujours la grandiloquence, ne se prend jamais tout à fait au sérieux. Comme si pour les mosaïstes il demeurait un jeu. Magnifique jeu de patience (et bien sûr il faut se rappeler que rien n'est plus sérieux que le jeu).

A l'origine un jeu de plâtriers et de paveurs qui eurent l'idée enfantine et géniale de faire alterner des plaques ou des éclats de marbre blanc et noir, ou d'égrener des galets multicolores, ou d'insérer des cailloux contrastés sur un fond uni. Cette origine serait asiatique, comme en témoignent des cônes en terre cuite teintés de noir, jaune ou rouge dont on se servait il y a quelque cinq mille ans pour former des losanges, des spirales et des chevrons sur des façades de palais mésopotamines, et comme le montrent encore en Asie mineure, en Egypte, en Crête, des pavements composés de coquillages et de petits cailloux noyés dans du ciment. Officiellement ces frustes embellissements ne passent pas pour ancêtres de la "vraie mosaïque". Celle-ci on la voit naître en Grèce au IVe siècle avant notre ère, quand les cailloux alignés figurent enfin des motifs plus variés et mieux lisibles. Pourtant, il n'y a pas loin de la géométrie naïve des premiers à la mythologie des seconds. Plutôt que figuratif, le jeu peut-être était devenu magique. Sur les pavements rouges sang qui agrémentent modestement les maisons de Kerkouane la Punique, ce n'est pas par hasard que l'ouvrier a serti des signes aussi puissants que celui de Tanit entre deux poissons. Toutefois, c'est bien en Grèce que des artistes-artisans (pas de discrimination entre ces divers travailleurs manuels bénis des dieux) poussèrent le jeu, presque follement, jusqu'à relever les défis du tisserand et du peintre. Ils se proposèrent de faire en dur ce que les autres faisaient d'une mince couche d'huile ou de souples écheveaux de laine ; à l'aide de fragments de minéraux ils voulurent fabriquer des fresques ineffaçables, des tapis inusables. Et ils y réussirent sans rien renier de la perfection du dessin, ni du chatoiement des couleurs, ni même, quand ils le jugèrent bon, des jeux d'ombre et de l'illusion du relief. D'abord réservées aux édifices religieux, leurs œuvres furent mises à la disposition du public fortuné dès que les créateurs allèrent travailler à Rome, puis dans les provinces de l'empire. Patriciens, hauts fonctionnaires, princes soumis et négociants connurent alors ce luxe inimaginable aujourd'hui de faire couleur dans leurs jardins des fontaines sur des œuvres d'art, (que l'eau avive, anime ; les poissons nagent, les dieux sourient), de circuler chez eux comme aux bains publics entre des murs-tableaux à caresser, et de marcher sur d'autres tableaux, - ou du moins sur leurs encadrements très précieux, puisque la scène centrale, l'emblema, était faite pour être contemplée, et non foulée aux pieds.

Cette mode superbe de vivre dans la fraîcheur des images eut comme on sait un essor fulgurant. L'art de la mosaïque, ses procédés et ses motifs gagnent en quelques générations la totalité du monde gréco-latin: de la Syrie à la Grande-Bretagne. Non s'il s'agisse d'une diffusion colonialiste à partir d'un centre de la civilisation et des élégances. Les provinces n'imitent pas docilement la métropole ; il ne semble même pas que ce soit en Italie que les mosaïstes aient le plus de liberté pour inventer et expérimenter. Les créations jaillissent de la périphérie, et particulièrement d'Afrique : de Tunisie. A Hadrumète (Sousse) qui a toujours entretenu des liaisons directes avec Alexandrie, à Carthage, à Utique, puis dans l'intérieur à Uthina (Oudna), à Thurubo, à Thysdrus (El Jem) se multiplient les ateliers fixes ou itinérants, équipés de spécialistes dont on devine aisément la composition : le peintre qui dessine sur une toile chaque détail du tableau et des ornements en indiquant au crayon couleurs et nuances pour la totalité des contours et des espaces; les ouvriers qui disposeront minutieusement les cubes afin de reproduire le tableau à l'envers ; ceux qui au préalable auront débité à la scie, en baguettes puis en cubes, le marbre, le basalte, le granite, le porphyre, les pâtes de verre opaque ou semi-transparent, qu'il faudra peut-être polir et repolir au cours du travail ; ceux qui, la mosaïque entièrement réalisée, couleront sur les cubes, côté pile, une couche de ciment pour faire de l'emblema une dalle transportable, ou encore, pour des œuvres plus vastes emporteront sur le chantier la toile et les cubes qu'ils y auront collés, pour la dérouler ensuite à sa place définitive sur du ciment frais.

Les œuvres sont quelquefois signées d'un nom de peintre ou de patron, nom grec, latin ou punique : aucune ségrégation ethnique dans ces équipes qui, en fort peu de temps, surent couvrir de couleurs joyeuses les sols et les parois des édifices publics - temples, thermes, théâtres - et de toute demeure prospère dans chacune des villes et des banlieues de cette contrée.

C'est un fait : alors qu'aujourd'hui les nations les plus riches rognent sur le budget des équipements socio-culturels et que l'on se vante de quelques murs de béton nu, en Tunisie romaine pendant plus de quatre siècles des bourgades de cinq mille habitants (Thugga-Dougga par exemple) eurent droit autant que les plus grosses villes à la lumière somptueuse des mosaïques ajoutée aux prestiges de l'architecture et à la profusion des statues.

En foule ou en famille ces propriétaires, ces armateurs, ces marchands de blé, d'huile et de vin, eurent droit à l'art omniprésente qui leur renvoyait d'eux-mêmes et de leur monde les images les plus flatteuses et les plus rassurantes.

Leurs demeures exigeaient quelquefois ces décors. Sur un plan immuable, qui fut punique, qui fut hellénistique, et qui paraît aujourd'hui simplement nord-africain, d'humbles maisons se transformèrent en villas immenses. Autour d'une cour à ciel ouvert de modestes commerçants disposèrent quelques chambres, des boutiques, un vestibule en chicane sur la rue : c'est ce que l'on voit sur le sol au niveau des fondations à Kerkouane et dans quelques quartiers de Carthage. Et c'est encore ce que l'on voit en survolant n'importe quelle bourgade de Tunisie.

Mais de même qu'à Tunis, des palais du XVIIe et du XVIIIe siècle reproduisent deux ou trois fois ce plan, en ordonnant des pièces immenses et des chambres d'apparat autour de deux voire trois patios et jardins, de même, treize siècles plus tôt, s'élevèrent non seulement à la campagne mais aussi en pleine ville dans les beaux quartiers des maisons d'une superficie d'un demi-hectare. Entrées monumentales, vastes vestibules, portiques à colonnades sculptées ou peintes, jardins et piscines : c'étaient dans une réalité apparemment banale les villas invraisemblables que nous ont restitué les films d'Hollywood et de Cinecittà. Fontaines, bassins, absides étaient ornés de motifs marins ; et d'autres mosaïques aident les archéologues à reconnaître les salles de réception, les salles à manger, les chambres et les alcôves. Ces archéologues n'ont pas besoin de décor pour faire le relevé des cuisines, des fours, des salles de bain, du chauffage central, des puits, des citernes. Citernes fabuleuses, secrètes ou béantes qui témoignent en plein champs de villes oubliées ; citernes de Carthage où dormaient les eaux de Zaghouan ; citernes de Carthage où dormaient les eaux de Zaghouan ; citernes collectives des immeubles à appartements ; citernes étagées des palais : ce temps, cette terre étaient obsédés par l'eau, nul n'en manquait même si tout le monde n'avait pas le confort des habitants de Thysdrus qui bénéficiaient de l'eau courante fournie par la ville. Ainsi sommes-nous conviés à admirer les hydrauliciens et les plombiers de l'antiquité, autant que leurs maîtres les architectes si habiles à s'adapter au climat, ou à dominer le climat, comme en témoigne la virtuosité de leurs maisons doubles, celles de Bulla Regia : cours, salons et portiques au rez-de-chaussée, pour l'hiver, et les mêmes reproduits comme dans un miroir au-dessous pour l'état - et autant de mosaïques sous terre qu'à l'air libre. (Et si nous voulons que les architectes construisent avec le peuple nous aimons rêver que ceux-là s'inspiraient des Berbères du Sud et des admirables patios enterrés que l'on voit dans les Matmatas).

Il fallut sans doute moins d'ingéniosité pour construire au bord de la mer des villas, dont on connait les vestiges par centaines, avec leurs terrasses, leurs jardins et leurs portiques à flanc de coteaux, à flanc de falaises, et leurs escaliers de marbre et leurs mosaïques étendues jusqu'au sable, jusqu'aux premières vagues. L'une de ces villas récemment dégagée au pied de la colline de Kélibia évoque les éblouissements de la baie de Naples, ce lotissement de millionnaires fameux dans l'antiquité. Tels furent les réceptacles de milliers de mosaïques pour les privilégiés de l'art de vivre tout de suite au paradis.

En revanche, il n'y a guère que les mosaïques pour nous renseigner sur un type de résidences campagnardes où l'art de vivre paraît un peu crispé. Au IVe siècle apparaissent au milieu des champs des villas massives, à façade monumentale percée d'une seule porte, à tours d'angle carrées, aux fenêtres étroites comme des meurtrières. Le domaine "du seigneur Julius" d'une mosaïque de Carthage, les demeures fortifiées des mosaïques d'Oudna et de Tabarka, attestent la peur des riches que le pouvoir affaibli ne protège plus contre les pillages ou les révoltes. Cependant ce temps de troubles n'est pas celui de l'austérité (l'économie "africaine" demeurera active et prospère

même sous les Vandales et jusqu'à la conquête arabe et au-delà, quand l'Italie et la Gaule auront sombré dans l'anarchie) : les petits châteaux joliment posés dans leurs parcs s'agrémentent toujours de portiques à colonnes et de piscines chauffées, et bien entendu de mosaïques. Il semble d'ailleurs que ce type de demeures méfiantes s'inspirait de modèles déjà séculaires : sur la paroi d'une tombe de Jebel Melezza, près de Kerkouane, un dessin punique représente une curieuse cité blottie dans son rempart et faite de bâtisses sur murs aveugles mais surmontées de galeries et couronnées de coupoles ou de tourelles arrondies. Ces maisons fortes auraient été très répandues aux derniers siècles avant notre ère en Egypte et en terres punique. Hannibal, dit-on, en avait une dans le Sahel. Mais au temps du Bas-Empire la Tunisie adopta aussi une forme moins rigide de construction rurale : édifices composés de deux avant-corps reliés à un bâtiment central par deux galeries en arc-de-cercle. Ce plan curviligne était connu en Europe, c'est une mosaïque de Cincari (Henchir Toungar) qui en montre la réalisation.
Ainsi de vaniteux propriétaires se procurèrent-ils par la mosaïque l'image de leurs immeubles et singulièrement de leurs résidences secondaires, toutes désignées pour les plaisirs et les jeux, sinon pour les sports proprement dits, inconcevables ceux-là loin des foules citadines : comme de nos jours les sports faisaient bon ménage avec l'argent, plus que de nos jours ils comptaient dans la vie politique. Tel conseiller municipal d'une petite cité proche de Zaghouan récompense ses électeurs en instituant une fondation perpétuelle pour les jeux du gymnase et les rencontres de pugilat. Tel prêtre du culte impérial à Tuccabor (Toukaber) offre aussi ce genre de combats et fournit l'huile nécessaire aux sportifs (et en outre il orne le gymnase d'un plafond voûté couvert de mosaïques...). En général sous les Antonins et les Sévères (IIe - IIIe siècles) les édiles avaient doté toute localité de quelque importance d'un stade, d'un cirque et de bains publics avec palestre, piscine et gymnase. Car les citoyens n'étaient pas seulement des sportifs assis. Tous inscrits à la Juventus de leur cité, les jeunes Africains s'entraînaient régulièrement dans des établissements spécialisés, désormais bien connus d'après la palestre des Petronii de Thuburbo Majus et surtout la Schola des Juvenes de Mactar : terrains de jeux rectangulaires entourés de portiques, non loin des thermes et des salles couvertes du gymnase. En outre, certains stades comportaient des enceintes réservées aux jeux de balle et de ballon, - sphères imparfaites, ces ballons, comme toujours et partout avant l'emploi du caoutchouc ; mais avec des vessies gonflées, bourrées de plumes et enrobées de cuir, les anciens se tiraient parfaitement d'affaire, semble-t-il, au tennis (aporrhaxis) comme au volley-ball (follis) ; aux piscines de plein-air, aux piscines chauffées - sans parler des privilégiés de Gafsa qui bénéficiaient d'une source chaude - les gens de la côte préféraient souvent la mer : Pline le Jeune s'en émerveilla un jour à Hippo Diarrhytus (Bizerte) au point de décrire le phénomène dans une de ses lettres. Et c'est dans cette même ville, au Fundus Bassianus, qu'une mosaïque a représenté les aventures et mésaventures de la plage : parmi les pêcheurs en barque et au-dessous d'un plongeur en plein vol, des nageurs s'ébattent en diverses postures, y compris celle de l'imprudent qu'avale un invraisemblable poisson. Scène plus paisible : un pavement de la villa impériale de Piazza Armerina, dans la proche Sicile, montre trois baigneuses "vêtues d'un bikini", disent les archéologues.
Cependant les mosaïstes prirent plus volontiers pour thèmes les épreuves olympiques et les jeux équestres. Un panneau de la "mosaïque aux chevaux" de Carthage peint la foulée d'un coureur ; sur des panneaux provenant des thermes de Gights (Bou Grara) deux lutteurs s'affrontent ; sur un pavement d'Utique quatre athlètes nus sont aux prises devant une table où l'on a disposé les récompenses : une couronne, deux branches de palmier. D'après un mosaïste de Bou Argoub les prix seront plus alléchants : outre la palme et la couronne, une bourse pansue. A Thuburbo Majus le propriétaire de la "Maison du Labyrinthe" a fait exécuter en mosaïque le portrait d'un champion de pugilat (cette boxe sanglante), dont il était sans doute le commanditaire. C'est un beau garçon un peu fat, qui d'un crochet décisif vient d'ouvrir la tempe de son adversaire que l'on voit à genoux, mais encore en garde, bravement, à tout hasard.
Au reste, s'ils désiraient passer de la brutalité aux atrocités, les amateurs purent goûter quelques-uns des spectacles qui faisaient courir les Romains aux IIe et IIIe siècles ; combats de gladiateurs, immolations de condamnés livrés aux fauves et, comme chacun sait, parmi les malheureux acteurs figurèrent trois ou quatre fois de jeunes chrétiennes auxquelles ce carnage a donné quelque notoriété. Mais peut-être les Africains y prirent-ils moins de plaisir que la plèbe métropolitaine : ils préféraient les vrais jeux du cirque : les courses. Autour de la plate-forme (spina) qui s'allonge au milieu de l'arène les chars à deux, quatre ou même douze chevaux tournent sept fois s'ils le peuvent. Le cocher vainqueur fera fortune et la mosaïque voudra immortaliser son nom (heureux Eros de Dougga, heureux Scorpianus qui se fait

bâtir une villa somptueuse dans les faubourgs de Carthage !), le peuple aura vécu des heures frénétiques, les organisateurs et les éleveurs se seront enrichis et les autorités constateront qu'il est facile de gouverner des citoyens qui n'ont pour partis que les équipes de course: Carthage sera divisée pendant des centaines d'années en deux camps opposant par couple les éternelles factions rivales des Bleus et des Rouges, des Blancs et des Verts. Parmi les profiteurs le "bleu" Sorothus, grand éleveur de la région de Souk Ahras a fait représenter ses haras dans des mosaïques de sa villa d'Hadrumète. A Carthage le vaste pavement de la "maison aux chevaux" présente soixante animaux célèbres, harnachés et empanachés, marqués des initiales de leurs propriétaires. Une autre mosaïque de Carthage célèbre une victoire : le gagnant brandit sa palme quand ses concurrents s'essoufflent encore au dernier tour. Sur les gradins la foule des amateurs est installée pour la journée ; un pavement de Gafsa les montre entassés sous les arcades, prêts à faire leur plein d'émotions ; aux palpitations du parieur s'ajoutent celles du sadique, car un char qui manque le virage de la spina offre de magnifiques accidents, du fracas, du sang, de la fureur. La magie peut-être aura procuré à la fois les gains et le spectacle ; contre les auriges de l'équipe rivale, on peut vouer aux dieux infernaux des tablettes de plomb porteuses de malédiction ; la pose d'une de ces tablettes, trouvée à Carthage, s'était accompagnée du sacrifice d'un coq : "Comme ce coq est attaché des pieds, des ailes et de la tête, que les pieds, les mains, la tête, le cœur du cocher des Bleus Victorieux soient liés demain ainsi que les chevaux qu'il conduira...". Et neuf chevaux sont énumérés avec une précision maniaque. Ces Africains étaient certes des sportifs engagés, mais le sport se laisse contaminer quelquefois, paraît-il. Ils avaient oublié les nobles vertus de l'athlétisme.

Si la chasse se nourrissait de sentiments plus généreux, si elle donnait l'occasion d'attitudes plus dignes, ce n'est pas sûr ; en tout cas elle prend figure grandiose sur les mosaïques, bien qu'on ne sache pas toujours si elle y paraît comme motif favori des peintres ou des copistes de cartons internationaux, ou comme trophée des propriétaires terriens. La disposition de ces scènes cynégétiques paraît suivre assez souvent un ordre obligé : le départ que précède une cérémonie religieuse (permanence des bénédictions de meutes !), déploiement d'équipages en rase campagne, affût, poursuite, mise à mort, retour triomphal avec exposition du gibier: tel est le plan de plusieurs pavements d'Utique, d'El Jem, de Sousse, d'Althiburos. Ailleurs on présente simplement, bons prétextes décoratifs, des tableaux de chasse : lièvres, perdrix, canards, grues et bécasses. Dans les grands domaines, comme celui de Julius, parmi les oliviers et les cyprès, les battues prennent des allures d'expéditions militaires. Une chasse an sanglier, détaillée en trois registres superposés sur une mosaïque de Carthage, commence par un lancer de chiens et de rabatteurs et s'achève par une boucherie d'une prudence extrême : on tue la bête quand elle est prise au filet. Un autre pavement fait étalage de tactiques et d'engins : des cavaliers escortés d'une escouade d'intendance se lancent à l'attaque d'un sanglier (encore), d'autres courent le cerf ; plus loin on abat des panthères à l'arc et à l'épieu ; ailleurs on capture un lion grâce à un stratagème qui ne fait pas honneur à la perspicacité de cet animal : une chèvre attachée dans une cage ouverte sur une carriole lentement traînée ; il y saute, on ferme la cage ; ce fauve finira ses jours au cirque. Comblés, les vaillants chasseurs n'oublient pas qu'il sied de conjurer les forces du mal et de l'envie, et de rendre grâce aux dieux : ils sacrifient pieusement à Diane et à son divin frère Apollon ; ils lui dédient la mosaïque. A Uthina (Oudna) qu'enjambe l'aqueduc de Zaghouan, la mosaïque des Laberii présente en gaillards plus vigoureux les seigneurs de cette famille. Ils n'hésitent pas à affronter le sanglier, épieu en main, au corps à corps ; ils chargent la panthère, brandissent la lance... Entre-temps leurs paysans, encouragés par tant d'exploits, se font aussi prédateurs ; ils attrapent des oiseaux aux rets, aux gluaux ; l'un d'eux rampe sous une peau de bouc pour rabattre une compagnie de perdreaux.

A vrai dire ces jeux ou ces besognes ne relèvent plus gère de la chasse ; ils font partie des travaux et des jours dans les beaux domaines agricoles où la Province puise ses ressources. Champs et vergers de la mer au désert : les Africains en tirent assez de fierté pour que les mosaïstes y trouvent quelques-uns de leurs thèmes les plus originaux. Sous le signe des Saisons personnifiées, quasi déifiées, entourant parfois un Génie de la terre, ils peignent les moissons qui, pour une bonne part, alimentent Rome : pendant trois siècles les navires de la Proconsulaire débarquent chaque année à Ostie douze cent mille quintaux de blé et d'orge. Sur les pavements d'Oudna et de Carthage (l'inépuisable mosaïque de Julius) se déroulent les pratiques séculaires : labours d'automne à l'araire attelée de deux bœufs, semailles, hersage, récolte de l'été triomphant dans l'allégorie porte faucille, battage au fléau ou par piétinement de chevaux, vannage, engrangement dans de hauts greniers voûtés.

A l'aide de quelques arbres en bouquet

près des maisons les mêmes artistes honorent l'autre grande ressource du pays, non moins précieuse et plus caractéristique encore que les céréales : l'olivier cause première, aux siècles "romains", de la poussée démographique et du développement des villes dans ces terres plus urbanisées qu'aujourd'hui. Olivettes dans les banlieues, au bord des champs et des chemins et même parmi les plants de vigne, forêts d'oliviers du Sahel qui procurèrent tant de luxe aux citadins d'Hadrumète et de Thysdrus (l'amphithéâtre d'El Jem est un sous-produit de l'olivier), ils sont là dans les mosaïques, très modestement symbolisés. Leurs troncs tourmentés, l'argent de leur feuillage ne font jamais défaut dans les scènes de chasse ou de "quatre saisons" ; mais les peintres négligent de décrire leur plantation en quinconce, tous les 22 mètres 20 selon la pratique carthaginoise ; ils n'illustrent pas les travaux que recommande l'agronome Columelle : labours tous les deux ans, binage, déchaussage, fumure, irrigation et taille.
Au moins représentent-ils la cueillette, ou plutôt, héla (sauf une mosaïque d'Utique qui montre bien un cueilleur exemplaire) le gaulage portant déconseillé par tout cultivateur instruit. Ils esquissent aussi les pressoirs familiaux ; on ne saurait leur reprocher d'oublier les huileries industrielles.
Faut-il regretter que leurs verges soient si peu variés ? Ils n'ont que trois ou quatre essences à leur répertoire ; le palmier-dattier lui-même n'y figure que très rarement, alors qu'avant la conquête romaine cet arbre du soleil marquait, hiératique et bienfaisant, les monnaies et les stèles. En compensation les mosaïstes sont prodigues de fleurs, de fruits et de légumes représentés avec tout le réalisme souhaitable. Grâce à quoi nous voyons que les arboriculteurs du IIIe siècle cultivaient les mêmes pommes, poires, figues et grenades ("pommes puniques", disaient les Romains) que ceux d'aujourd'hui, les mêmes cédrats, coings et amandes (mais point de pêches ni d'abricots, point de citrons ni d'oranges, qui ne viendraient d'Orient que six siècles plus tard), et les maraîchers les mêmes courges, voire très exactement la même variété d'artichauts pointus aux feuilles bordées de violet.
Sur ces travailleurs les mosaïstes sont discrets ; ils montrent plutôt les maîtres, c'est bien naturel. Le seigneur rentre de la vile en tunique blanche et manteau rouge, sur un gros cheval pommelé, suivi d'un valet à pied, guêtré de blanc, un couffin à l'épaule. Nous le retrouvons à la belle saison sur un tabouret : il y siège afin de recevoir dignement de rustiques cadeaux ; en effet, un domestique lui présente des canards, un autre s'avance, chargé d'une hotte de fruits, un lièvre à la main. La dame, afin de symboliser comme son époux les saisons qui concentrent leurs pouvoirs sur l'heureux couple, consent aussi à accepter les prémices de la ferme. Au printemps d'abord, au pied d'un rosier, vêtue d'une robe transparente, elle s'accoude à une colonnette et choisit des bijoux dans un coffret que lui tend une servante ; deux jeunes garçons se sont approchés : le premier offre une corbeille de fleurs, le second avec une profonde révérence un panier de poissons. En été, la dame trône sur un banc à l'ombre des cyprès ; cette fois on lui apporte des fruits et un agneau. Elle a mis ses doubles bracelets, elle joue de l'éventail, elle s'intéresse nonchalamment aux produits et aux producteurs. Des poussins picorent sous le banc. Ce sont des scènes bien agréables.
Et cependant les paysans - sans même compter les jeunes esclaves porte-paniers - ne sont pas tout à fait absents des mosaïques. Poules et canards, chiens et chevaux ont des hommes à leur service ; chèvres et moutons ne vont pas sans berger. Près d'un abreuvoir circulaire qu'alimente un puits à balancier un muletier part pour la ville ; c'est ce que montre la mosaïque d'Oudna qui peint aussi, proche de l'étable, une tente où s'abritent probablement des nomades du sud, travailleurs saisonniers venus se louer quelques mois comme ils le font encore. Chez Julius un tondeur de moutons, chez les Laberii un laboureur en gros burnous, partout les gauleurs d'olives, et quelques vignerons et des bergères à quenouille introduisent déjà des clichés de pastorales qui, en Europe, vont servir pendant quinze cents ans à la littérature consolante et aux arts d'agrément. Du moins, les gourbis de ces paysans se présentent sans fard dans les mosaïques : les huttes de terre, les chaumières de guingois font un candide contraste avec les châteaux et les villas.
Elles rappellent ce que nous apprend l'Histoire : les terres d'Afrique furent surtout mises en valeur, bon an, mal an, mauvais siècle, bon siècle, par de modestes colons, des petits propriétaires, une foule d'esclaves et d'ouvriers, - bref, des gens qui ne commandaient pas de mosaïques.
L'Histoire fait aussi le compte des révoltes et des hérésies politico-religieuses, économico-religieuses... Et si les mosaïstes n'en disent rien, ils y font allusion à leur insu, malgré les lois du genre, parce qu'aucune œuvre d'art ne peut se dispenser de témoigner à la fois pour et contre la société qui la produit.
Encore faut-il s'entendre sur la rigueur de témoignages. On s'y laisse prendre sans trop de risques quand il s'agit de froment et d'huile. Mais le vin, autre ressource du pays ? Il serait absurde, évidemment, de chercher dans les mosaïques, comme dans

la sculpture ou la statuaire de terre cuite, une documentation sur l'expansion viticole dans les territoires de Carthage, sur les crises et les méventes, sur quelques guerres du vin qui firent rage entre l'Italie et les côtes africaines, sur le recrutement de la main-d'œuvre, sur les rendements et les qualités des crus. En revanche, et c'est cela qui importe, ces formes d'art plastique sont assez éloquentes pour attester l'importance sociale et psychologique de cette culture, même si nous nous donnons la liberté de prendre ce mot dans tous les sens qu'on lui attribue de nos jours.

Les Carthaginois (soyons précis : les Phéniciens) avaient fait fructifier, au Cap-Bon et dans la région d'Utique, les plants de biblique renommée qui prospèraient déjà aux pentes du Liban. La conquête romaine parut d'abord fatale à ce vignoble: les producteurs italiens craignaient la concurrence. Pourtant, deux siècles plus tard, les vignerons d'Afrique avaient repris leur rang ; exportés ou non, leurs vins tenaient une bonne place dans l'économie de la Province et leurs plantations modelaient le paysage. Vers l'an 120 de notre ère, un décret des procurateurs d'Hadrien réglemente la mise en valeur de mauvaises terres (marécages à assécher, collines à amender) et la plantation recommandable de vignes nouvelles dans le territoire de Thugga (Dougga) entièrement voué aujourd'hui aux céréales, aux oliviers et à l'élevage.

Les ceps bien alignés, rationnellement espacés, régulièrement taillés ornent plusieurs mosaïques nord-africaines : en Tunisie, celles d'Utique et de Thabarka (Tabarka) surtout. Les tailles sont diverses autant que les façons culturales : en gobelet, aux quatre sarments en croix étayés de piquets, en espalier, en extension verticale sur des échalas, en tonnelles, en treilles (longues treilles d'Afrique, voûtes vivantes où l'on marche à l'ombre du raison). Les plants servent quelquefois de culture dérobée ; on les aperçoit rangés dans des oliveraies, comme aujourd'hui encore sur des parcelles familiales ; on les voit même s'enrouler aux arbres, mêlant leurs grappes aux pommes de pin. Mais ce sont là procédés ou fantaisies de jardiniers. Les domaines qui couvraient des centaines d'hectares déjà aux environs de Kélibia et d'Oudna (et sur les terres qui portent aujourd'hui les noms de Mornag et de Thibar) séparaient plus radicalement, sans doute, la vigne des vergers. Quant aux soins de cette culture exigeante et raffinée entre toutes, les vieux agronomes les énumèrent tels qu'on les voit se succéder encore de l'hiver à l'automne : labour, sarclage, taille, binage ; épamprement.

Viennent les fabuleuses récompenses de septembre, les peintres de mosaïques n'ont pas vu les centaines de dos courbés, les serpettes infatigables, les processions monotones des hottes, des bennes, des charrettes. Ils rêvent. Ils transposent. Sur leurs panneaux la vendange n'est guère figuée que par d'énormes grappes, "grappes d'Afrique grosses comme des enfants", s'exclame Pline l'Ancien : "Et il y a des raisins, ajoute-t-il, qu'on garde tout l'hiver suspendus à la voûte, d'autres qu'on enferme dans des pots placés dans des jarres bourrées de marc qui suinte à l'entour. Et d'autres qui doivent leur goût à la fumée des forges qui sert aussi à parfumer le vin, et Tibère donna une grande vogue à ceux des forges d'Afrique...". A moins que des décors conventionnels ne mettent en scène, dans le fouillis d'une treille, des grives mutines et des amours potelés. Le thème est traité avec exubérance dans un des plus beaux panneaux des Laberii d'Uthina ; il a servi aussi au sculpteur d'un fût de colonne exhumé près de Thuburbo Majus : mêmes oiseaux gloutons, mêmes poupons vendangeurs agrippés aux vrilles. D'après certaines mosaïques, Dyonysos représente à lui seul la vendange sous les traits d'un personnage à demi vêtu d'une peau de panthère, les tempes enjolivées de raisin et de feuilles de vigne.

Curieusement, pour parfaire l'allégorie des riantes largesses de septembre, la peinture du foulage et du pressage se veut un peu plus fidèle. Une mosaïque d'El Jem montre sans angelots ni guirlandes une vraie cuve débordante de raisins, une vraie jarre prête à recevoir le vin doux, deux ouvriers authentiquement tannés au soleil qui foulent la pulpe en se tenant, comme il se doit, à des cordes passées sous une barre transversale. La technique s'est mécanisée depuis ; la peine des vignerons ne ressemble plus à une danse, le vin ne semble plus naître de ce corps-à-corps de l'homme et du monceau de grappes en fermentation. Et en général, le lyrisme de la "vinification" a perdu le support charnel que lui reconnaissent aussi bien les mosaïstes d'Afrique que les miniaturistes français ou bourguignons des Très Riches Heures. Ceux-ci, en tout cas, comme les vignerons de toutes contrées au début du XXe siècle auraient considéré sans étonnement l'outillage que met au jour l'archéologie en Tunisie. En filtrant au pied des pressoirs le jus coulait dans des bassins en gradins pour parvenir, peu à peu décanté, aux dolia, ces puissantes amphores enduites de poix souvent représentées sur les mosaïques ; le vin y séjournait une saison avant d'être soutiré pour passer aux jarres pointues enfoncées dans le sable des caves et y vieillir au gré des dieux . (Les Gaulois avaient inventé les tonneaux en douves de châtaignier. Et le transfert technologique n'eut pas lieu. Le fait n'est guère surprenant quand on voit que les potiers du Sahel, du Cap-Bon et des

environs de Kairouan (El Aouja) et de Tunis (Er-Riana) exportaient encore au VIIe siècle vers l'Espagne et l'Italie des amphores de toutes formes et de toutes tailles, emballage et conditionnement universels).
Plaisantes peintures de ceps et de grappes, évocation de pratiques vinicoles... Serait-ce à ces réconfortantes banalités que se borne le témoignage des mosaïques en faveur du vin ? Non, il s'en faut bien ; les artistes avaient autre chose à dire, ou croyaient dire autre chose. Et même des représentations de sarclage et de vendanges, qu'elles soient ornementales, fantaisistes ou documentaires, renvoient à d'autres réalités un peu plus exaltantes, peut-être, que la sage chronique dont elles prennent l'apparence. Exaltantes, cela s'entend, pour qui les contemplait au temps de leur fraîcheur. Aujourd'hui la lecture en est équivoque, au point que des érudits superficiels ou "réducteurs" s'en sont détournés naguère avec des moues puritaines.
Il est vrai que le vin a toujours suscité de mornes débats entre les doctes qui prêchent l'abstinence et ceux qui voudraient le faire boire comme on prend médecine. Par exemple au IIe siècle, Apulée de Madaure, illustre écrivain nord-africain, n'oublie pas la caution thérapeutique, et écrit dans les Florides qu'un fameux Asclépiade, prince de la médecine après Hippocrate, fut le premier à imaginer de recourir au vin comme remède, à condition bien entendu de le donner à propos...". Il est vrai aussi que la franche ivrognerie est de tous les temps, et l'on ne peut exclure qu'elle soit tout bonnement présentée comme telle par certaines œuvres, mosaïques et terres cuites, qui admettraient sans barguigner que le vin a aussi des vertus indécentes, ou que l'esprit se perdu un moment au fond du verre où se cache la vérité. Il est possible que des figurines, d'origine hellénistique, "sujets" décoratifs très répandus aux premiers siècles, ne dépassent pas le niveau de la plaisanterie de bazar : ces vieilles femmes affalées dans un fauteuil, jambes écartées, qui embrassent amoureusement une cruche n'expriment peut-être qu'une passion comique.
Cependant, prétexte à lazzi faciles, l'ivrognerie dégradante n'est guère méditerranéenne ; en général elle est rare, comme on sait, en pays de vignoble : qui fait le vin le boit avec respect, c'est-à-dire avec mesure, sauf exceptions hyperboliques aux grandes fêtes de convivialité, destinées justement à la démesure. Face à des sculptures telles que l'Héraklès de Thibar, à des mosaïques comme celles, dites des "beuveries", de Dougga et d'El Jem, on assiste simplement, dans un premier temps au mis, à une bruyante, quasi brutale, affirmation de l'être-au-monde, manifestation sans arrière-pensée d'une grosse joie de vivre. A Thibar, Hercule en proie à une ivresse grandiose est d'abord l'image ou le symbole du consentement aux lois forcenées de la biologie ; à El Jem, la mosaïque découverte en 1954 dans les parages de l'amphithéâtre, montre sans nul doute, devant des vases et des cruches de vin, deux femmes et trois hommes qui tendant leurs coupes à des échansons et qui n'en finiront pas d'étancher leur soif ; et une fresque d'Hadrumète représente bien une scène de cabaret que des observateurs hâtifs auraient le droit de décrire comme une tranche de vie quotidienne.
En réalité, à moins de se contraindre à un méprisable simplisme, on ne saurait admettre que le peintre, le sculpteur , le mosaïste se soient attardés à de telles anecdotes s'ils n'y voyaient ou s'ils n'y plaçaient des significations plus profondes. Hercule boit et mange sans goinfrerie en compagnie d'une enfant, déjà ivre lui aussi, qui d'une main tient une coupe en forme de corne ornée d'une tête de panthère, de l'autre un tyrse - tige surmontée d'une feuille de lierre : ces attributs ne sont pas choisis au hasard, ils sont dionysiaques. Le cabaret qui paraissait plein de joyeux drilles s'estompe sur une peinture funéraire ; on n'y distingue plus qu'un client solitaire qui lève son verre peut-être pour boire encore, peut-être à la santé d'un camarade invisible ; des gobelets vides traînent sur la table ; devant un vaisselier où s'étagent des coupes bleuâtres, un homme dans la pénombre se penche pour remplir un dernier pichet, et rien ne dit qui il veut servir, ni quel rôle il joue, après tout, dans un vague décor de brindilles vertes, ce cabaretier des morts. Quant aux cinq convives de Thysdrus, ils sont accoutrés de façon bien étrange pour figurer dans un honnête banquet de fonctionnaires ou de cultivateurs enrichis. Ce n'est pas pour un portrait de famille, un soir de réjouissance domaniale ou civique, que le mosaïste fait porter des emblèmes à ces personnages des deux sexes, le sceptre au croissant de lune, la feuille de lierre, le roseau, la couronne radiée. Ce n'est certainement pas pour célébrer la fortune d'un herbager (qui serait fort insolite dans la plaine d'El Jem) qu'il a couché côte à côte, au bas de son panneau, cinq taureaux bossus.
Sens et symboles, il faudra y venir. Mais par un détour. Laissons un moment ces images. Avant de tenter une réorientation, vers un au-delà sans doute, mieux vaut interroger d'autres exemples, d'autres motifs ambigus qui entraînent dans un voyage semblable du trivial et du pittoresque au merveilleux, sinon au sacré. Les mosaïques vouées à la mer, aux vaisseaux, à la pêche, particulièrement

abondantes en Tunisie, représentent naturellement un milieu familier et des activités réelles. Leurs auteurs ont traité les thèmes marins pendant quatre siècles, non seulement dans les ateliers d'Hadrumète et de Carthage, face aux grands ports, mais aussi dans les villes de l'intérieur ; les terriens autant que les armateurs ou les patrons de pêche s'entourèrent de paysages aquatiques. La mer aimante partout les désirs, et, en outre, les pavements ou les parois conçus en fonction de l'architecture doivent répondre traditionnellement à la destination des lieux : à piscines, bassins, impluviums et baignoires conviennent les marines, cela va de soi, - le grand large et ses monstres, comme les rivages et leur menu peuple.
Voici donc de patients pêcheurs à la ligne, voici l'homme à l'épuisette ; et dans les barques multicolores, des équipages qui lancent le filet ou manient le harpon, et les heureux compagnons de la pêche toujours miraculeuse, nus comme des dieux, qui pataugent dans des amas de poissons.
Deux panneaux de Dougga racontent ces calmes aventures dans des eaux prodigieusement fécondes, à quelques brasses de la plage et des rochers. Un homme poussait sa barque, il s'y est hissé ; un autre répare un filet ; un troisième avait posé sa ligne, il va la relever, la daurade a mordu ; et le dernier transperce au trident un poulpe de belle taille. Sur une mosaïque de Carthage, aux quatre angles, quatre pêcheurs à la laine se font face, assis en pêcheurs à la ligne tunisiens, une jambe repliée, l'autre pendant ; entre eux poissons et crustacés composent une excellent planche d'histoire naturelle. A Sousse deux garçons, nus et blonds, voguent en haute mer ; l'un tient les rames, l'autre debout à la proue brandit son harpon ; dans une barque voisine on relève les nasses au-dessus ou au milieu d'un banc de rougets, de colins et de seiches, que domine une superbe langouste pareille à un navire de haut-bord, toutes voiles dehors.
Nombreuses les mosaïques qui reproduisent avec toutes les variations souhaitables ce scènes de bon augure. Mais d'autres donnent plus de prix au rivage, et plus de champ à l'imagination. Au centre d'un panneau d'El Alia une pêche à la seine étend sa nappe sur un lac, et tout autour se développe un surprenant littoral couvert de constructions hétéroclites et charmantes : tours, pavillons à plusieurs étages percés de fenêtres vitrées ou non, reliés par des galeries de colonnades, villas blotties dans des bosquets, huttes, statuts, chapelles et jardins clos ; tout un petit peuple s'affaire dans ce paysage : un paysan pousse un âne, un cavalier dort au bord de l'eau près de son cheval attaché à un arbre, des artisans besognent, des promeneurs dînent sur l'herbe. Cette fois, le peintre paraît s'éloigner du motif ; cependant, comme il convient, comme il importe, la pêche sera mémorable dans son lac paisible.
Pourvu que les eaux regorgent de poissons, de crustacés et de mollusques, tous les jeux sont permis. Des enfants pêcheurs peuvent avec insouciance évoluer autour d'un canot sans rameurs où un personnage fastueux, une torche à la main, se laisse dériver en compagnie d'une danseuse. Et surtout les flôts, les flottilles, les plages et les grands fonds peuvent accueillir aussi complaisamment que les treilles le peuple innombrable des gras petits Eros. Ils nagent, ils pêchent, ils rament, tirent des filets immenses, ramènent des poissons plus gros qu'eux ; ils glissent au plat-bord des barques, leurs ailes battent et les balancent dans le vent qui retrousse leurs tuniques. Montés sur des dauphins, ils font la course quatre à quatre et, bien entendu, leurs ceintures sont aux couleurs des quatre factions du cirque. La fantaisie du mosaïste, son ironie, reste de bon aloi et de bonne humeur : les amours marins sont les pages de Vénus qui siège tout en haut dans sa coquille et contemple en souriant leurs mirifiques efforts. D'ailleurs, d'autres dieux s'entourent volontiers de ces lutins aux cheveux bouclés, enfants éternels, gages de vitalité et d'innocence. Quand Dionysos apparaît sur une galère théâtrale pour châtier les pirates tyrrhéniens qui l'avaient capturé (affolés de voir leur navire se changer en jardin, ils se jettent à l'eau et se métamorphoseront en dauphins), les amours naviguent dans les parages sur une barque à peine moins somptueuse ; indifférents à la tragédie qu'ils agrémentent, travailleurs minuscules mais imperturbables, ils s'obstinent aux travaux de la pêche, ils s'y absorbent, et avec leur aide les mosaïstes s'entêtent à multiplier les poissons.
Il doit être clair maintenant qu'une telle profusion serait absurde si elle n'était due qu'à une recherche esthétique fascinée par la variété des formes ichtyologiques et par l'éclat des nageoires et des écailles auquel s'adapteraient particulièrement les ressources de la mosaïque polychrome ; à ce compte oiseaux, plantes et insectes seraient au moins aussi nombreux. Mais quand on remarque qu'un poisson, passant ou dressé comme une hampe, constitue souvent à lui seul le motif d'un pavement où d'un panneau de paroi destiné à orner et protéger le seuil ou la porte d'une chambre à coucher, et qu'associé ou non à des coquillages, il devient tout naturellement phallique, on se rappelle le rôle que tiennent les animaux marins dans toutes les traditions, et singulièrement celles des peuples méditerranéens, que ces peuples soient indo-européens ou sémitiques. Image savoureuse de l'Eau (pour des marins et des laboureurs de

terres arides, le plus précieux des quatre éléments qui composent le monde), le poisson est par excellence symbole de vie et de fécondité. Muet, inaccessible en son être, étranger aux autres éléments comme aux humains qui le dévorent, il hante les profondeurs de la mer et s'y pénètre des forces de l'abîme, où toute vie s'engendre et se régénère. Aux religions de Syrie, les Carthaginois avaient emprunté le poisson, attribut des déesses de l'amour ; en effigie d'argent ou de drap brodé, en peintures de poteries et en breloques, il préside toujours aux épousailles de leurs descendants, et en toutes circonstances il demeure efficace contre mauvais œil et mauvais sort. Vie, chance, fertilité, c'est le message des mosaïstes qui répandirent sur tant de lumière leur copieux étalage de fruits vivants de la mer. Leurs dauphins tenaient le même langage, avec plus de subtilité : ses visiteurs d'Apollon, amis des hommes, ils parlaient de santé de l'âme, et de salut, dit-on, et de transfiguration.

Par ce biais, il semble possible de retourner à la vigne, au vin, aux buveurs. C'est pour découvrir que la prospérité et la santé que, sans contredit, ils proclament, ne sont pas simplement celles des finances provinciales, ni des panses pleines. La vigne n'a jamais été un végétal comme les autres. Pour les peuples d'Asie Mineure, pour les Phéniciens qui l'introduisirent en Afrique, elle passait pour un "arbre" quasi-divin. Dan les livres poétiques de la Bible (où se mêlent d'innombrables échos de Mésopotamie et du Levant), elle est la propriété, l'assurance de vie. "Une bonne épouse est pour l'homme une vigne féconde", selon le Psaume 128. Chez les Grecs et les Romains, les soins de la vigne relèvent d'un dieu aussi récent - tout est relatif - que la vigne en Europe : Dionysos, dont le culte ne cessa de grandir, dans l'antiquité, qu'à l'avènement d'autres religions à mystères, égyptiennes et orientales. Le vin, très généralement associé au sang, moins pour sa couleur que pour son caractère d'essence de la plante, est toujours breuvage de vie, d'initiation, de joie, - et d'immortalité. Ce rôle, évident chez les Sémites comme chez les disciples hellénistiques de Dionysos, se manifeste comme nécessaire et en quelque sorte indispensable, quand on voit comment il a été transposé dans le symbolisme mystique du christianisme et de l'islam soufi.

Comment croire qu'il n'était pas présent à l'esprit des mosaïstes, peintres de vendanges et de "beuveries" ?.

Expressément ou non, voire inconsciemment, machinalement, c'est toujours au culte de Dionysos (Bacchus) que renvoient ces scènes. Ce jeune garçon divin, "deux fois né", fils de Zeus et d'une déesse-mère d'origine asiatique, est maître du vin et du renouveau saisonnier, principe de la fécondité animale. A considérer les célébrations secrètes ou publiques de ses bacchanales et fêtes orgiaques, on peut sans conteste faire de lui un dieu de la rupture des interdits, un dieu des défoulements et de l'exubérance : tel serait son visage selon Nietzsche qui l'opposait à la trop sereine sagesse d'Apollon. Mais pour ses fidèles, en Grèce, en Italie, en Afrique, il est aussi un libérateur des enfers, un initiateur, un conducteur des âmes. Autrefois, dans les vieilles cérémonies d'Eleusis, en descendant dans l'Hadès, soit pour y chercher sa mère, soit pour y figurer l'alternance des saisons, il avait incarné l'un des avatars du thème le plus puissant de l'art, de la pensée ou de la songerie profonde : Mort et Résurrection. Ces idées, et surtout les mythes et légendes qui les véhiculaient, étaient si répandues dans l'Antiquité, les mémoires en étaient si bien imprégnées, ils faisaient si bien partie de la "culture", que l'on ne peut guère supposer que les gens qui commandaient à un atelier de peinture ou de mosaïque un sujet dionysiaque étaient nécessairement initiés ou gagnés au culte. La mode, la coutume, l'esprit du temps sont plus probables. Mais quelquefois, l'œuvre et sa place dans un édifice révèlent une intention nette, une dévotion réelle. Et dans tous les cas sa conception, ses motifs, ses détails qui s'imposaient à l'artiste et à son public en raison des rapports qui les liaient à un ensemble de mythes et de symboles, ne s'éclairent que par ces mêmes mythes, ces mêmes symboles, et par les schémas mentaux qu'ils traduisent.

"Bois et tu vivras", c'est la formule inscrite sur les amphires que portent des échansons pour servir des personnages - auriges peut-être - rassemblés sur une grande mosaïque de Dougga. Formule pieuse, injonction magistrale : elle est renforcée par la présence de feuilles de lierre peintes sur les vases. Signe de la permanence végétative et de la persistance du désir, le lierre est un ornement habituel de Dionysos, qui s'en sert, comme des sarments de vigne, pour pousser au délire les femmes qui se refusent à son culte. Or, ce lierre, noué à une tige, est exhibé aussi sur la mosaïque d'El Jem aux cinq convives costumés. Les autres emblèmes qu'ils présentent ne sont pas moins riches de signification, d'allusions, de souvenirs. La branche verte est pour tous les peuples image de victoire et d'ascension. Le roseau - roseau parlant de la légende de Midas, roseau de la flûte des derviches - est une voix qui pleure ou chante, qui aspire à la communication, qui réclame l'union. La couronne tient sa valeur prophylactique de la matière dont elle est tissée ou orfèvrée, fleurs, feuillage, métaux, pierres précieuses, et de sa forme circulaire qui l'apparente au ciel. Signe de consécration,

elle assimile à la divinité celui qui la porte ; à tout le moins, elle certifie son état spirituel : "L'unité devenu libre, notait Plutarque, et se promenant sans contrainte, célèbre les mystères, une couronne sur la tête". Irradiée, irradiante, telle qu'elle brille dans la mosaïque, elle témoigne du degré le plus élevé de l'évolution spirituelle.
Quant au croissant de lune, auquel demeure fidèle la bijouterie féminine, il semble que personne ne puisse refuser de le voir comme les anciens : ils y lisaient périodicité et transformation, par conséquent renouveau et (bien entendu) croissance. Il serait d'ailleurs malaisé ici d'associer à Dionysos le satellite nocturne et femelle, sauf en soulignant le climat d'initiation de la scène et à condition de faire appel encore à Plutarque, précieux vulgarisateur. "La lune est le séjour des hommes bons après leur mort. Ils y mènent une vie qui n'est ni divine, ni bienheureuse, mais pourtant exempte de souci jusqu'à leur seconde mort...". En revanche aucune hésitation pour les cinq taureaux couchés au bas du panneau où est inscrit un proverbe qui souhaite leur sommeil : ces ruminants qui, même au repos, évoquent une puissance et une fougue irrésistibles, sont consacrés à la fois à Poséidon, dieu des tempêtes et à Dionysos, dieu de la virilité. Et c'est la même puissance que, dans la sculpture du Dionysos ivre, signale le rhyton, qui est une corne ou un vase en forme de corne.
Devant de telles œuvres, la question de la véracité des artistes ne devrait pas être posée en termes de "réalisme", et il serait vain de se demander s'ils ont réussi ou échoué à peindre la nature, les hommes, les événements. Réalistes, ils l'ont été comme leurs habiles confrères de Pompeï et d'Herculanum ; les plantes, les animaux, les édifices, les gens qu'ils ont représentés sont à n'en pas douter aussi vrais que possible. Mais de ce réalisme ils ne se souciaient qu'en bons ouvriers, et il est probable que lorsqu'ils manquaient le motif, comme nous en jugeons en constatant par exemple que leur perspective était fausse, ou qu'ils ne savaient pas dessiner un mufle de lion (ce que, d'ailleurs, personne ne saurait faire avant la Renaissance), ils ne s'en apercevaient même pas. En outre, leur souci n'était pas de tracer au jour le jour la chronique des heurs et malheurs de leurs contemporains, mais plutôt de refaire des tableaux anciens à l'aide de moyens nouveaux, sur des thèmes qu'ils croyaient éternels. Les scènes et les figures que nous ne nous lassons pas d'énumérer et de décrire ont pour objet de traduire ces thèmes, de les symboliser, ou simplement de les orner par jeu et besoin de décor.
Est-ce à dire que l'on a tort d'y chercher les images de la vie quotidienne dans la Tunisie antique ? Nullement. Mais leurs auteurs ne les ont pas traitées pour elles-mêmes, et s'ils ont prodigué des saynètes, des paysages et des portraits pour notre plus grand profit, c'est qu'ils ne pouvaient pas faire autrement. Aucun peintre (aucun écrivain) ne sait inventer des vêtements, des architectures, des outils, des armes, des gestes. Il utilise ceux qu'il a sous les yeux et à la rigueur ceux du passé, que lui tendant ses prédécesseurs. Même s'il donne dans le fantastique et le monstrueux, il ne peut puiser que dans les acquis de son époque ; il est incapable, généralement, d'aller au-delà des formes que la société a produites jusqu'à son temps. Qu'il les même ou les déforme, elles préexistent à sa création. C'est pourquoi, malgré lui peut-être, il se fait le porte-parole du travail, des rapports politiques, et d'un monde précaire. Les fresques que des moines indiens, chinois, cinghalais ont pieusement consacrées aux vies antérieures du Bouddha ne devaient pas servir à montrer des costumes ni des coutumes ; cependant elles les montrent, de même que la peinture chrétienne la plus fervente, à la fin du moyen-âge, s'emploie à son insu à documenter les historiens sur le mobilier, les étoffes, les parures et les instruments de musique de la fin du Moyen-Age.
Créateurs non moins heureux, les mosaïstes africains copiaient le modèle ingénuement, tantôt dans la nature telle qu'ils la voyaient (à défaut d'une nature réelle qui ne se voit jamais), tantôt dans l'imagination collective. Ils copiaient les gerbes de blé ; mais aussi, mais d'abord une effigie de Cérès. Ils copiaient des vignes et des pressoirs ; mais d'abord, au-dessus, au centre, l'image de Dionysos. Qu'elles s'entourent de drames se surchargent de décors, s'encombrent d'aventures romanesques, ou bien qu'elles s'avancent solitaires, ces divinités n'ont pas été représentées pour servir de slogan, ni pour tenir lieu de bilan. Les vignes et les blés désignent Dionysos et Cérès. la réciproque n'est vraie, dans un sens qui n'est ni moderne ni profane, que si ces plantes cultivées gardent quelque chose de divin.
De même, la mer renvoie aux genèses de la science et des songes, aux métamorphoses primordiales. Mais dans les mosaïques elle est aussi le cadre, le royaume gorgé d'attributs, des dieux qui président à ces naissances et à ces métamorphoses ; la méthologie y règne souverainement. Parmi les pavement les plus célèbres de Tunisie, ceux de la Chebba, de Sousse, d'Utique, d'El Jem sont des hymnes au dieu Océan, Yam des Puniques, Poséidon des Grecs, Neptune des Latins. Debout, drapé dans l'ar-en-ciel, guidant un attelage fantastique de chevaux marins, ou nu, dressé dans une lumière d'auréole, levant son trident immobile au-dessus des vagues,

l'inquiétant frère de Zeus, à peine moins étincelant que le maître des dieux, mais souvent aussi ténébreux qu'Hadès, le troisième frère, paraît toujours en majesté ; ses gestes, ses attitudes sont toujours ceux de la souveraineté. Or cette option des mosaïstes africains en faveur d'un Neptune puissant mais placide paraît remarquable : elle n'est pas celle des poètes depuis Homère et les plus anciens mythologues. Ceux-ci parlent d'un dieu terrible et fantasque, un dieu des tempêtes, symbole de la domination violente. De ses innombrables amours avec des déesses et des mortelles, il n'engendre jamais que des bandits ou des monstres (sauf cette fille mystérieuse qu'il eut de Déméter et dont, selon Pausanias, "seuls les initiés peuvent savoir le nom"). Dieu des hurlements, des déchaînements et même des tremblements de terre, car les continents reposent sur l'océan. Dieu des eaux d'en bas où la vie prend naissance de manière encore cahotique. Maître des forces élémentaires... Tel, du moins, le Poséidon que les Grecs auraient dû infliger à leurs apprentis d'Hadrumète. A vrai dire, le Neptune latin, également muni des pouvoirs redoutables des eaux profondes, est plus calme, d'habitude, plus familier. Après tout, autant qu'à la mer sans borne, il commande aux rivières, aux lacs, aux sources, et même aux rigoles des jardins. Mais ce n'est pas non plus ce dieu de l'irrigation et de l'arrosage municipal que les mosaïstes semblent avoir retenu. Leur Neptune, leur Océan, ne menace personne de son trident, qui n'est au fond qu'une vieille arme de pêche ; il ne tonne ni ne grimace. Cependant, il ne se soucie pas non plus des vannes et de canaux. Il règne paisiblement sur les vagues fougueuses et amicales, sur le peuple bigarré des animaux et des monstres que ces vagues ne cessent d'enfanter et auquel il se mêle volontiers.

Pour finir, on est tenté de croire que c'est du vieil Océan des Phéniciens qu'il tient cette majesté à la fois imposante et pacifique, cette paternelle sérénité. Sous les oripeaux hellénistiques, jouant les rôles que lui prêtent la mythologie et les peintres traditionnels, c'est Yam qui survit et bénit avec humour une Afrique immuable qui a changé de langue sans changer d'âme. Il orne des bassins d'agrément dans les jardins, des absides d'établissements de bain. C'est un vieillard tout puissant, plus riche d'énergie contenue ou dépensée sans compter, que les Dionysos enthousiastes et les Hercules indécis. Il est de ce mode et hors du mode. Il sourit aux romains puérils des hommes et des dieux, impavide dans sa barbe tissée d'algues ; les ères, les règnes, vont leur train sous les méandres de son immense tignasse hérissée d'antennes et de pinces de homard. Il ordonne, il apaise. Les eaux terribles sont aussi bienfaisantes?

Toutefois le Neptune africain vogue rarement dans la solitude ; il se fait escorter d'êtres étranges que les mosaïstes avaient si avidement empruntés aux peintres de la Grèce et de l'Orient qu'ils croyaient sans doute les voir surgir des brumes argentées qui baignent quelquefois Jerba, et souvent voilent le Bou Kornine. Alors bondissent les Sirènes, femmes-oiseaux (et non femmes-poissons comme chez les Nordiques) qui par la beauté de leurs visages et de leurs chants entraînent les navigateurs au naufrage. Séductrices mortelles : on ne leur résiste qu'en s'accrochant, en s'attachant comme Ulysse à la dure réalité du mât, centre du navire, axe vital de l'esprit. Nagent aussi les hybrides surréalistes, produits de cauchemars primitifs et interminables, moitié poissons, moitié chevaux, moitié hommes, moitié poissons, et toutes les créations grotesques de Poséidon, et ses infréquentables petites-filles, les cinquante Néréïdes. Mais cette faune animale-divine-humaine n'inspire aucune terreur, du moins telle que nous la présentent les mosaïstes. Ce n'est pas son propos. Elle dit simplement que les hommes participent de deux univers, le bestial et le divin, et que la proportion du mélange dépend d'eux.

La plénitude exemplaire ou rêvée, celle des Immortels quand ils ne se mêlent pas trop des querelles sublunaires, se peint aussi dans des mosaïques à grand spectacle, comme celle dite "de la maison de Caton", provenant d'Utique, où paraissent à la fois Neptune et Amphitrite, son épouse. Sur l'un des trois vaisseaux qui accompagnent leur char aérien passe, mollement étendue, Vénus, servie par un amour joaillier et par deux oiseaux qui apportent un collier. Il ne faudrait pas cependant prendre Vénus-Aphrodite pour une figurante. De nombreuses mosaïques, en Afrique comme en toute province de l'empire, lui sont consacrées et l'exaltent dans les poses conventionnelles de la beauté, du charme et des parures. Mais en Afrique plus qu'ailleurs, elle est associée à la mer et à ses divinités. Elle est "anadyomène", née des vagues, née surtout de ses religions d'Asie : sous les dehors d'une Vénus innocemment libertine, les mosaïstes ne cessèrent d'entrevoir Ishtar, la grande déesse syriaque et phénicienne. Et si les Grecs l'avaient acclimatisée en la faisant même naître à Chypre, ils ne lui avaient pas prêté de vertus spécialement bourgeoises. Leur Aphrodite sort de la mer parce qu'elle est la fille de la semence du Ciel répandue sur les eaux après que cet Ouranos eut été castré par son fils Cronos. Epouse du Boîteux, Héphaistos-Vulcain, qu'elle ridiculise plus d'une fois, elle aime les forces de l'érotisme passionné. "Elle égare même la raison de Zeus", affirme un hymne homérique en la montrant suivie d'un cortège de loups, de lions, d'ours et de panthères qui, sur son ordre vont "tous à la fois s'accoupler dans l'ombre des valons". Et d'autres poètes la traitent de "tueuse d'hommes. Heureusement, comme les vieux mythes ne sont jamais plus simples que les réalités humaines, la fatale déesse étant céleste, protège les villes ; marine, préside à la navigation ; chtonienne, veille sur les sépultures ; et dispensatrice du désir, s'occupe du mariage et de la vie de famille. Déesse versatile, et pleine de ressources, en vérité. Aux mosaïstes, à leurs clients, Aphrodite apportait un thème plaisant, cela est certain. Les fables, même métaphysiques, finissent en spectacles ; et en attendant elles n'exigent pas tous les jours l'effort intellectuel ou religieux. Noces, triomphes, apothéoses, furent, en Afrique surtout, de pieux prétextes au déploiement de décors fastueux. Orphée lui-même fut quelquefois un prétexte. Ce n'est pourtant pas un dieu, il ne trône ni sur les flots, ni parmi les autres. Musicien-magicien, il ne se contente pas d'apprivoiser les bêtes, les plantes, les tempêtes ; il obtient encore des dieux infernaux la libération de son Eurydice. Chacun sait qu'il ne la ramènera pas au jour, parce qu'il aura douté en chemin et que plus tard, inconsolable, il finira écharpé par des femmes. Que d'échecs pour un héros ! or les Anciens éprouvaient une curieuse tendresse à l'égard de ce malheureux artiste, symbole du combattant qui sait endormir le mal, mais non l'abattre, et qui périt de sa propre faiblesse. C'est qu'ils restaient fascinés par son fragile pouvoir sur les forces incompréhensibles de la terre et de l'au-delà ; ils en firent le fondateur des mystères d'Eleusis ; ils le suivaient aux portes de l'enfer ; ils voyaient qu'un homme avait failli vaincre la mort. Mais de leur côté les apothéoses et les couronnements célestes aidaient à vaincre le désordre et la peur . Devant leurs mosaïques les gens de cette terre s'interrogeaient-ils, il y a quinze ou dix-huit siècles, sur le savoir des peintres et sur le sens des mythes ? Ils les connaissaient, ces mythes, ils en pratiquaient l'exégèse et sans doute ils y pensaient très rarement. Ni plus ni moins désarmés que nous, ils aimaient autour d'eux les images bénéfiques qui proclamaient que le monde est en ordre, que la joie et l'amour y ont leur place, que la beauté est sacrée, et que l'espérance est permise. Autant que leurs travaux et leurs jeux, c'est donc leur regard intérieur que les mosaïques nous font devenir. Elles nous lèguent leurs rêves et leurs dieux oubliés, des dieux négligés qui ne peuvent cependant abandonner leur terroir ; ils dorment au soleil, sur ces rivages inchangés, dans ces labours désormais soumis au Dieu Unique, au creux des rocs qui, chaque printemps, palpitent sous les fleurs.

Georges FRADIER

ROMAN MOSAICS OF TUNISIA

Tunisia is richer in mosaics than any other country in the world and thanks to Tunisian generosity, these mosaics can be seen on every continent. This generosity is as intimately linked with joie de vivre as the mosaics themselves are with the soil of Tunisia. it is debatable whether, in the first centuries A.D., the inhabitants of this little province of Africa were richer or more care free than we are today however. We might be tempted to think that this was indeed the case, if we base our evidence on their art as compared to our own. Each and every mosaic, right up to the 6th century A.D., reverberates with happiness, with a joy which has nothing ephemeral about it though it can, at times, be naïve while at other times it may be a little contrived, artificial or constrained. Whatever its individual characteristics, however, every mosaic establishes some form of communication with the viewer in the same way as the theatre, when it purges our emotions and reinterprets our routine way of life.
Mosaics are an art form in their own right and this must be stressed for those who may still categorize them as a minor art form. They have their own particular technique - and even their own particular Muses as the word "mosaic" would seem to indicate ! Yet in spite of an occasional attack of pomposity, it is a light-hearted art form and it would seem that the mosaicists looked upon it almost as a game, a wonderful game of patience - though it is always as well to remember that there is nothing more serious than a game !
Originally the game was played by plasterers and pavers whose simple and brilliant idea was to lay alternate black and white plaques or fragments of marble, to scatter many-coloured pebbles, to set stones of a contrasting colour onto a plain background. The game originated in Asia where, some five thousand years ago, terracotta cones, dipped in black, red or white paint, were used to decorate the façades of Mesopotamian temples with losanges, triangles and chevrons ; later in Asia Minor, in Egypt and in Crete, pavements were made up of shells and pebbles set in cement. These forms of decoration cannot, however, claim to be the ancestors of "true mosaics". For these, we must turn to Greece in the 4th century B.C. where pebbles are arranged in more varied and clearer patterns. The earlier naïve geometric designs and the later mythological scenes do not necessarily indicate a trend towards a more figurative art ; it would seem, rather, that the art had acquired an aura of magic. It is probably no coincidence that on the blood-red pavements which constitute the restrained decoration of the houses in the Punic city of Kerkouane, a workman should have framed the mighty symbol of the goddess Tanit between two fish.
In Greece, at that time, all manual workers were equally blessed by the gods and it was there that the artist-craftsmen developed the game into a mad competition in which they strove to outdo the weavers and the painters. They aimed at achieving in a hard, unyielding material the same results which others were obtaining in thin layers of paint or with soft skeins of wool ; they sought, by means of mineral fragments, to produce frescoes which could not be wiped away and carpets which could not wear out. They succeeded and their draughtsmanship remained as beautiful while their colours retained their brilliance and they even added, when the need arose, shadow-play and the illusion of depth. At first, mosaics were used only in religious buildings but when the Greek mosaicists went to work in Rome and in the provinces of the empire, their art also became the prerogative of rich individuals, Patricians, dignitaries, vassal princes and merchants were able to indulge in the luxury, impossible nowadays, of having fountains playing in their gardens over works of art : the running water made the scenes come alive so that the fish swim while the gods smile. Not only in the public baths, but in their own houses as well, they moved between walls like paintings, across floors like paintings - or, at any rate, across the precious frames of these "paintings" since the central scene, the emblema, was made to be looked at and not trodden on.
This wonderful way of life, surrounded by these airy pictures, spread like wildfire. In a few generations, mosaic art, its techniques and its motifs, had reached across the whole of the Greco-Roman world, from Syria to the British Isles. There was nothing colonialistic about the way in which this fashion caught on, nor did it receive its greatest impetus from the centre and arbiter of civilisation and taste, for the provinces did not follow the metropolis blindly and it seems, indeed, that it was outside Italy that mosaicists had the greatest freedom to experiment and develop their art. On the outskirts of the empire, and particularly in Africa, in Tunisia, creative works of art blossomed. Workshops sprang up, both fixed and itinerant, in all the great centres : at Hadrumetum (Sousse) which always had direct links with Alexandria, at Carthage, Utica and inland at Uthina (Oudna), Thuburbo, Thysdrus (El Jem). We can easily reconstitute the way the specialised

teams of these workshops set about their work : a painter would draw out on canvas every detail of the picture and ornamentation and pencil in the colour indications, details of nuances, outlines and background. On this picture skilled craftsmen would then carefully lay out the mosaic tesserae in order to reproduce the scene in reverse. Some workmen had previously sawn marble, basalt, granite, porphyry, opage or tranlucent glass paste into rods and then into cubes in order to form the tesserae which often had to be polished and repolished during the course of work. When the mosaic had been completed, other workmen would pour onto the back of it a layer of cement so as to transform the emblema into a portable slab, while for larger compositions the cubes were glued onto the canvas which was then carried onto the site where it was unrolled onto a bed of fresh cement in its final location.

Sometimes these works of art were signed with the name of the painter or of the owner of the workshop and the name could be Greek, Latin or Punic. Indeed, there seems to have been no ethnic discrimination when it came to the selection of these teams of workmen who, in a short period of time, spread a web of bright colours on the walls and floors of public buildings - be they temples, baths or theatres - and adorned every rich house in and around every town in the land.

Whereas nowadays even the richest nations cut down on their budget for social and cultural needs and we are called upon to admire bare concrete walls, it is a fact that in Roman Tunisia for more than four centuries small townships of some five thousand inhabitants, such as Thugga-Dougga for example, had as much right as the largest city to grandiose architecture decorated with sumptuous mosaics and a profusion of statues. Both in public and in private life these landlords, shipowners, corn, oil or wine merchants claimed the right to be surrounded by an ever-present art form which flateringly and reassuringly reflected the world they lived in.

The love of decoration overflowed into their houses. These houses retained the same ground plan in Punic, Hellenistic and Roman times and this basically North African plan was adapted and enlarged, as time went on, to form huge villas. In its simplest form it consisted of an open courtyard round which were grouped a few rooms and stores and a bent-axis entrance passage from the street. As such it is preserved in its lower courses at Kerkouane and in some parts of Carthage, and as such it survives in any and every town in Tunisia today. The Tunis palaces of the 17th or 18th centuries repeat this plan two or three times so that huge halls and reception rooms are grouped round two or three gardens and patios and this was also the solution adopted some thirteen centuries earlier for the great houses, which could extend over more than an acre, which sprang up in the country and even in the residential centres of towns. They had monumental entrances, vast halls, porticoes with carved or painted colonades, gardens and pools - indeed, they must have resembled rather closely the fantastic film-villas created in Holywood and Cinecittà ! Fountains, basins and apses were decorated with marine scenes and the lay-out of other mosaics enable archaeologists to identify reception rooms, dining-rooms, bedrooms and alcoves. Other features, such as kitchens, ovens, bath-rooms, central heating, well or cisterns can be identified without the aid of decoration. The cisterns indeed, are fascinating and, whether they are hidden or yawning chasms, their presence in the middle of a field betrays the site of some ancient and forgotten city : the cisterns of Carthage where the waters of Zaghouan slept, collective cisterns for apartment blocks, multi-storeyed palace cisterns. In those days, in Tunisia, there reigned an absolute obsession about water and it was available to each and everyone even though not all were as fortunate as the inhabitants of Thysdrus who had running water supplied by the municipality. The hydraulic engineers and plumbers of Antiquity call for our admiration as do their masters the architects, for they all used their crafts to adapt to the climate and, where necessary, to dominate it. The houses of Bulla Regia are a good example of their abilities in this respect, for here they built double houses with courts, rooms and porticoes on the ground floor for winter use while a mirror image of this lay-out was reproduced below for the summer - with mosaics both above and below the gound. It is perhaps too idealistic to imagine that architects were so conscious of local traditions that they sought inspiration for these double houses among the Berbers of the South whose admirable buried patios can still be seen today in the area round Matmata.

Less ingenuity was required in the design of seaside villas, hundreds of which are to a greater or a lesser extent, preservede with their terraces, their gardens and their porticoes built against the slope of a hill or the face of a cliff, with their marble stairways and their mosaics spreading out across the sands up to where the waves break upon the beach. One of these villas has recently been excavated at the foot of the hill of Kelibia and is reminiscent of houses on the Bay of Naples which was renowned in Antiquity as a resort of millionaires.

On the other hand, mosaics are almost our

only source of information as regards a certain type of country residence in which the way of life seems to have been rather more restrained. In the 4th century A.D. huge villas appeared among the fields ; they had monumental façades pierced by only one doorway, with square towers at the corners and narrow windows resembling loop-holes. The property of "Seigneur Julius" on a Carthage mosaic, the fortified houses on the mosaics of Oudna and Tabarka bear witness to the growing fear of the rich once a weaker central authority no longer offered them adequate protection against bands of marauders and revolts. These troubled times, however, were not in any sensetimes of austerity. Even under Vandal rule, "African" economy was to remain active and prosperous and it was to continue so until the Arab conquest and beyond, when italy and Gaul had sunk into anarchy. Indeed, these small castles are attractively set in parks and always have colonnaded porticoes and heated pools and, of course, mosaics. It seems that these fortified houses may have been based on centuries-old prototypes for on the wall of a tomb on Jebel Melezza, near Kerkouane, there is a Punic representation of a strange city set within ramparts framed by the windowless walls of tis houses which are crowned, however, by galleries and domes or rounded towers. Similar fortified houses were apparently widespread in the last centuries B.C. in Egypt and in Punic settlements ; Hannibal's house in the Sahel is supposed to have been of this type. A less rigid type of country house was also current in Tunisia during the Late Empire, however, and consisted of a central building linked by two curved galleries to flanking blocks. This curvilinear plan was known in Europe but it is thanks to a mosaic from Cincari (henchir Toungar) that we know what it looked like.

These rich landowners proudly depicted their houses and country residences on mosaics and have recorded for us a way of life given over to pleasure and games - though these latter, and sports in the true sense of the word, could only survive in the vicinity of cities and crowds. Sports and money went together then as they do today, but they had far more political significance than they have nowadays. A municipal counsellor would reward his voters in a small town near Zaghouan by instituting a perpetual foundation for gymnasium games and pugilistic encounters. A priest of the imperial cult in Tuccabor (Toukaber) endowed similar contests and supplied the oil necessary for those taking part while furthermore decorating the gymnasium with a vaulted, mosaic - covered ceiling. Generally, under the Antonines and Severains (2nd - 3rd centuries), the aediles had seen to it that every locality of any importance should have a stadium, a circus, public baths with a palestra, pools and a gymnasium.

The young inhabitants of this province of Africa were all members of their city's Juventus and trained regularly in specialised establishments which are now well known thanks to the Palestra of the Petronii at Thuburbo Majus and, especially, the Schola of the Juvenes at Mactar. These were rectangular sports grounds surrounded by porticoes, close to the baths and the covered halls of the gymnasium. Certain stadia had areas reserved for ball games. The balls which were used then were similar to all those made before the discovery of rubber : they were not perfectly round and were made of a feather-filled, leather-covered bladder but they seem to have been perfectly adequate for games of tennis (aporrhaxis) and volley-ball (follis). Though there were open-air and heated swimming pools, not to mention the hot springs which the privileged inhabitants of Gafsa enjoyed, many preferred bathing in the sea - a phenomenon which so astonished the younger Pliny when he witnessed it one day at Hippo Diarrhytus (Bizerte) that he described it in his letters. From near that very same town, at the Fundus Bassianus, a mosaic was found which shows seaside activities : fishermen in their boat, a diver and swimmers in various attitudes, including a careless one whom an unlikely-looking fish is in the act of swallowing. From Piazza Armerina, in nearby Sicily, we have a more peaceful scene depicting three bikini-clad women on a beach (so the archaeologists tell us) !

Mosaicists nevertheless preferred to depict olympic and equestrian games. A runner is represented on a panel of the "mosaïque aux chevaux" at Carthage while panels from the baths of Gightis (Bou Grara) show two wrestiers fighting - a scene which recurs at Utica where two pairs of naked contestants are wrestling on either side of a table on which the trophies are displayed : a grown and two palm branches.

According to a mosaicist from Bou Argoub, however, the prizes could be rather more attractive for, in addition to the palms and the crown, there was a well-filled purse for the winner . The owner of the "Maison du Labyrinthe" at Thuburbo Majus had the portrait of a champion pugilist executed in mosaic.

It is but a short step from brutality to atrocity and some of the spectacles which drew the crowds in 2nd and 3rd century Rome could also be enjoyed by devotees here. There were gladiatorial combats and condemned prisoners were thrown to wild beasts - including on some three or four occasions, as everyone knows, some unfortunate young Christian women

whose recorded fate has come down in history. It seems, on the whole, that Africans enjoyed these sports less than the inhabitants of the metropolis and preferred genuine circus games : the races. Two-four- or sometimes twelve-horsed chariots would attempt to complete seven circuits of the course round the elongated platform or spina which ran down the centre of the arena. The winning driver made a fortune and his victory was sometimes recorded in mosaic as evidenced by Eros of Dougga or Scorpianus who built himself a sumptuous villa in the outskirts of Carthage !
Furthermore the audience had an exciting experience, the organisers and horse-breeders got richer and the authoritiesfound that it was far easier to govern if the parties to which citizens belonged were race teams ! Carthage, indeed, was divided for centuries into two camps to which belonged the permanently rival factions of the Blues and the Reds on the one hand and the Whites and the Greens on the other. One of those to profit from this sport was the "Blue"Sorothus, a horse-breeder of the neighbourhood of Souk Ahras who had his stud-farms depicted on mosaics in his native city of Hadrumetum. The large pavement of the "Maison aux Chevaux" shows sixty famous horses with harness and plumes, bearing the initials of their owners.
Another mosaic from Carthage shows the winner holding a palm while his rival competitors are still completing the last lap of a race. The enthusiastic viewers on the surrounding tiers are there for the day and a mosaic from Gafsa also shows them packed together under the arcades, ready for an emotional feast for not only were their feelings as gamblers aroused but their sadistic appetites were also whetted : spectacular accidents could occur if adriver took the turn round the spina wrong, with a full quota of noise, blood and thunder. The spectacle and the result win might, indeed, have been produced with the aid of magic ; the powers of evil could be invoked against the charioteers of the rival faction by means of lead tablets inscribed with curses. Such tablets have been found in Carthage, where they were accompanied by a sacrificed cock and the words : "As this cock is bound by the legs, the wings and the head, so may the feet, hands, head and heart of Victorius, charioteer of the Blues be bound tomorrow when he drives..." while nine horses are listed with maniacal precision. These Africans were certainly enthusiastic about their sports but they sometimes let their enthusiasm run away with them and lost sight of the noble virtues of athletics.
We cannot be certain that nobler attitudes and more generous sentiments prevailed in hunting. Whatever the case, however, hunting takes a predominant place in mosaic representation though it is not always clear whether it was a favorite motif of painters and copiers of international cartoons, or whether it was the choice of landowners who wished to record their exploits. There seems to have been a fairly rigid order according to which hunting scenes in separate panels were depicted : there was a religious ceremony before the hunters set out - a custom which has survived in the blessing of hounds - then the hunters spread out across the countryside and scenes of stalking, the chase and the kill culminate in the triumphal return home when the game is laid out. This is the order as it survives on several pavements from Utica, El Jem, Sousse and Althiburos. Elsewhere, however, single features drawn from the hunt are used for purely decorative purposes : hares, partridges, ducks, cranes and woodcock. On large estates, like that of Julius, beats resembling military expeditions take place between olive trees and cypresses. A mosaic from Carthage depicts a boar hunt in three registers with the initial scene showing the hounds and the beaters starting the boar and the final one representing a very safe kill for the boar is dispatched only once it has been caught in a net and rendered harmless.
Another mosaic shows the use of tactics and equipment : the riders, escorted by a gang of attendants, pursue once again a boar while others follow a stag, shoot down or spear panthers or capture a lion by means of a stratagem which no self-respecting lion should have fallen for, namely by slowly parading a goat which is tied up in an open cage set on a cart ; the lion jumps in, the cage is closed and the wild beast ends his days in the circus. The brave hunstmen involved in this scene did not forget that it was necessary to avert the powers of evil and envy and made an offering to Diana and her divine brother Apollo when they dedicated the mosaic to them. At Uthina (Oudna), which is straddled by the Zaghouan aqueduct, the mosaic of the Laberii depicts the sons of the family as rather more daring hunters. They show no hesitation in grappling with a boar with a short stakeas their only weapon ; they charge at panthers and brandish spears. Meanwhile their retainers are so far encouraged by these bold deeds that they also become predators and catch birds in nets and snares while one of them is shown crawling along in a sheep skin in an attempt to capture a group of partridges.
These humbler occupations and pastimes no longer qualify as hunting but formed part of the day to day activities of the agricultural estates on which the wealth of the Province was based. There were fields and orchards from the sea to the edges of

the desert and the Africans were proud enough of the fact for it to have become a theme in some of the most original of the mosaicist's creations. Under the aegis of personified, not to say deified. Seasons, sometimes surrounding the Spirit of Earth, are depicting the harvests which were, to a large extent, to feed Rome. For three centuries the ships of Proconsular Africa unloaded some 120,000 tons of corn and barley in Ostia each year. The age-old agricultural practices are depicted on mosaics from Oudna and Carthage (Julius' gold-mine of a mosaic once again) : autumn ploughing with the swing-plough drawn by two oxen, sowing, hoeing and the triumphal reaping of summer whose allegorical figure carries the sickle, threshing with a flail or by trampling horses, winnowing and final storage in high vaulted granaries.

The country's other great natural resource, the olive, is represented by clumps of trees near houses. Indeed the olive was more characteristic and no less precious than cereals and was the primary cause, during Roman times, of the demographic expansion and urban development of this area which was far more urbanised then than it is now.

The orchards, unfortunately, are depicted with very little variety. Only three or four different types of trees are shown and the date-palm appears very rarely though it had been, before the Roman conquest, a religious symbol of beneficent sunshine and life on coins and stelae. On the other hand flowers, fruit and vegetables are always most realistically represented and we can conclude that the arboriculturers of the 3rd century grew the same apples, pears, figs and pomegranates (called "Punic apples" by the Romans) as today, the same lemons, quinces and almonds (but no peaches, apricots, and oranges since these were to come from the East only some six centuries later), while the market-gardeners cultivated the same marrows and even precisely the same type of pointed artichoke with purple-edged leaves.

These workmen are rarely depicted ; the emphasis, naturally enough, was on their masters. The nobleman returns from town in his white tunic and red cloak, riding a large dappled horse and followed by a servant on foot who wears white gatters and carries a basket on his shoulder. In fine weather, the nobleman is shown sitting on a stool in order that he may receive with dignity some rustic presents : a servant brings him some ducks, another bears a basket of fruit on his back and holds a hare in one hand. The lady of the house also accepts farm produce and with her husband, serves to symbolise the seasons which have poured out such munificence on the happy couple.

Even if we exclude the young basket-bearing slaves, there are, nevertheless, some representations of peasants on mosaics. Chickens and ducks, dogs and horses have attendants at their service ; sheep and goats have a shepherd. A mule driver sets out for town by a circular drinking fountain which is supplied by a well with a counterweight ; the same mosaic from Oudna also shows us, near a stable, a tent which probably belongs to nomads from the south who have come to seek seasonal labour for a few months - as they still do ; on Julius' estate there is a sheep-shearer, on the Laberii's a ploughman in a thick burnous and every-where people are engaged in beating down olives from the trees while a few vine-dressers and shepherdesses already provide the prototypes for a whole series of pastoral clichés which, for the next fifteen hundred years, will be used to create the illusion of peace and pleasure in European literature and art. At least there has been no attempt, in the mosaics, to whitewash the huts of these peasants which were built of mud-brick and whose crookedness forms a striking contrast to the castles and the villas. Indeed the mosaics reinforce what we know already from history : the lands of Africa were mainly exploited, through thick and thin, in good times and in bad, by humble colonists, by small landowners, by a multitude of slaves and workmen - in short, by men who did not order mosaics. History also tells of revolts and heresies which were based as much on politics and economics as on religion... Though mosaicists make no mention of these, they allude to them unconsciously, in spite of physical limitations, because no valid work of art can refrain from passing judgement both for and against the society which has produced it.

We must, however, judge the accuracy of the evidence laid before us. We can be fairly sure of drawing the right conclusions as far as wheat and oil are concerned. But what about wine, the country's other great resource ? We cannot hope to find information in mosaics, anymore than in sculptures or terracottas, concerning the spread of vine-growing in the lands belonging to Carthage, concerning crises and bad sales, wine wars raging between Italy and the North African coast, the recruting of labour or the importance and quality of vintages. Nevertheless, representational art is eloquent in recording the social and psychological importance of the cultivation of the vine. The Carthaginians or, to be more précise, the Phoenicians, had introduced the vine of Biblical renown, which flourished on the slopes of their native Lebanon, and established vineyards on the Cap Bon and

in the region of Utica. It seemed at first as though the Roman conquest would mean the end of the vineyards, for Italian producers were afraid of Nord African competition. Nevertheless, two centuries later, African wine-growers were in business once more ; whether they were exported or not, their wines played an important part in the economic life of the Province and the vineyards had transformed the landscape. Towards 120 A.D. a decree of Hadrian's procurators set out regulations for the exploitation of poor land (swamps to be drained, slopes to be improved) and recommended the planting of new vineyards in the territory of Thugga (Dougga) which, today, is entirely given over to the cultivation of cereals and olive trees and to the raising of cattle.
Well-aligned, logically spaced and regularly pruned vines are depicted on several North African mosaics and particularly, in Tunisia, on those of Utica and Thabraka (Tabarka). The methods of cultivation and the pruning differ considerably : the vines can be trained on hoops, the four vineshoots can be arranged on props in the form of a cross, the vines can be espaliered, spread vertically against vineprops, planted as arbours or trellises - those long African trellises and livig bowers where we can walk in the shadow of grapes. Sometimes the vines are used for secondary cultivation, for instance in olive groves or, as nowadays, on family plots. They are even depicted climbing up trees and winding their bunches among the pine-cones ; these, however, are a gardener's fantasies. The distinction between vineyards and orchards was probably more rigidly enforced on those huge estates, covering several hundred acres, which spread round Kelibia and Oudna and on those lands which now bear the name of two of Tunisia's most famous wines : Mornag and Thibar. Vines demand special care and attention and ancient agronomists list the various stages in cultivation, from winter to autumn and as they still survive today : ploughing, hoeing, pruning, second dressing and thinning out. In September comes the time to harvest the fruit of all this labour but the designers of mosaics did not think fit to show us the hundreds of bent backs, the tireless pruning hooks, the monotonous procession of basket-bearers, of hampers, of carts. Instead, they dreamt, they reinterpreted. On the panels which they produced, the grape harvest is symbolised by huge bunches of grapes, "African bunches of grapes as big as childrens", as the elder Pliny exclaimed and he added : "Furthermore there are grapes which are kept throughout the winter, hanging up in the vault while others are put in pots which are then placed in jars full of oozing grape-skins. yet others oxe their particular taste to the smoke of forges which is also used for flavouring wine ; indeed, Tiberius started a fashion in wines from the forges of Africa". Sometimes a conventional scheme of decoration will show thrushes and cubby cherubs in the tangle of a vine trellis. The theme is dealt with exhuberantly in one of the finest panels from the Laberii's house at Uthina ; it also served as inspiration for the sculptor of a column found near Thuburbo Majus where the same greedy birds and the same grape-picking cherubs cling to the tendrils. Some mosaics show the wine-harvest symbolised by Dionysos alone, depicted half-draped in a panther skin with grapes and vineleaves round his head.
Surprising enough, however, the allegory of September's joyous bounty is completed by a rather more faithful representation of wine-treading and pressing. There are no cherubs and garlands on a mosaic from El Jem which depicts a real vat overflowing with grapes, a real jar ready to receive the sweet wine and two workmen who are genuinely tanned by the sun and who are treading out the grapes as they should while holding onto a rope which is passed over a horizontal bar. The whole process is now mechanised : the work of wine-producers no longer resembles a dance, wine no longer springs from the physical struggle of man with this mound of fermenting grapes. The withdrawal of bodily contact has resulted in a loss in the lyricism of wine - making, of which it was an inherent part - and as such, it was recognised not only by African mosaicists but by the French or Burgundian miniaturists of the Très Riches Heures. These latter, and indeed wine-growers everywhere until the beginning of the 20th century, would have been perfectly at home with the wine-making equipement which archaeologists have found in Tunisia. The juice was filtered as it flowed from the bottom of the wine-presses into stepped basins until, gradually decanted, it reached the dolia - huge pitch-covered amphorae which are often depicted on mosaics. The wine was allowed to settle there for a season before it was drawn off into pointed jars which stood in the sand of cellars and in which it aged as the gods willed. Though the Gauls had invented beech-wood barrels, this did not lead to a technological change for the potters of the Sahel, of Cap Bon and of the neighbourhood of Kairouan (El Aouja) and of Tunis (Er-Riana) still, in the 7th century, exported their amphorae in all shapes and sizes to Spain and Italy, for they were ubiquitous for all packaging and storage needs.
Wine is not only celebrated on mosaics by representations of vines and bunches of grapes, however. Comforting and banal

though these scenes are, they were not the artist's last word on the subject though even ornamental, fantastic or documentary representations of hoeing and wine-harvesting carry an echo of other more exaled realities, though this may not immediately be apparent. of course, when we talk of more exalted realities, we are referring to the times when the mosaics were fresh and new, when there was no doubt as to their meaning. Nowadays this meaning has become so equivocal that an expert may examine them casually or analytically without their producing more effect on him than an occasional puritanical shudder.

It is true that wine has always been the subject of depressing discussions between those who preach abstinence and those who advocate its use for medicinal purposes. In the 2nd century, for instance, Apuleius of Madauros, a renowned North African writer, did not omit to mention its therapeutic properties and stated in his Florida that "a famous Asclepiades, a prince of medicine after Hippocrates, was the first to think of using wine as remedy on condition, naturally, that it be administered on the right occasions..." It is also true that downright drunkenness has always existed and we cannot exclude the possibility that is was simply illustrated as such by certain works, such as mosaics and terracottas, which are prepared to state uncompromisingly that wine also has its indecent aspect, that reason may, for a moment, be lost at the bottom of a glass, and that it is there that truth lies. It is possible that some Hellenistic figurines, which were very popular in the first centuries, are no more than fair-ground jokes in their representation, for instance, of the comic passion of an old crone, collapsed in a chair with her legs apart, who is lovingly embracing a jug.

Nevertheless, though degrading drunkenness can be an excuse for buffoonery, it is not Mediterranean in essence. It is generally a rarity in wine-growing country, for those who make good wine drink it with respect or, in other words, moderately with a few hyperbolic exceptions at the great convivial festivals which are designed specifically for excesses. When we look at sculptures such as the herakles of Thibar, or at mosaics showing scenes of carousal from Dougga or El Jem, we are taking part, at least at first, in a noisy, rowdy expression of life, of a hearty joie de vivre which has no mental reservations. At Thibar, Hercules is gloriously drunk and symbolises the acceptance of certain overwhelming biological laws. A mosaic found in 1954 near the amphitheatre at El Jem shows, quite unequivocally, two women and three men before pots and jugs of wine, while attendants are forever filling the cups they hold out but will never succeed in quenching their thirst. A wall-painting from Hadrumetum depicts a tavern scene which a hasty observer would put down as being merely a representation from daily life.

In reality, of course, unless we are prepared to take a simplistic view of the whole affair, we have to admit that the painter, the sculptor and the mosaïcist would not have taken the trouble to represent such scenes if they had not seen in them some more profound significance. Hercules is shown eating and drinking without gluttony, together with a child who is also already drunk and who holds a horn-shaped cup decorated with a panther's head in one hand and in the other, a thyrsus (a stem topped by an ivy leaf). These attributes were not chosen at random for they are Dionysiac. The tavern which seemed to be full of cheery types takes on a new meaning when we realise that it was a funerary painting. We suddenly become aware of the solitary customer who raises his glass to drink, perhaps, to the health of an invisible companion ; empty cups are lying about on the table ; in the shadows before a dresser with shelves of bluish cups, a man bends to fill a last jug but we do not know who he was going to serve and nor can we guess what part he plays, among the green fronds, this tavern-owner of the dead. Furthermore, the five banqueters of Thysdrus are dressed very strangely if they are merely taking part in some function for local dignitaries and rich landowners. This is no family group spending a pleasant evening on the estate, nor is this some civic banquet, for the mosaicist has shown members of both sexes with emblems such as a sceptre decorated with a crescent moon, an ivy leaf, a reed, a crown with rays. And it is certainly not to celebrate the good fortune of a grazier (in any case a most unlikely person to find on the plain of El Jem) that he has placed five humped bulls lying down side by side at the bottom of the picture.

We shall return to these symbols and their meanings in a different context. We must now leave these pictures, however, and turn to other ambiguous motifs which will take us along a similar path from things trivial or merely picturesque to things marvellous or even sacred. Mosaics which treat marine subjects, which show ships and fishing - always an important Tunisian industry - are naturally depicting familiar scenes and genuine activities. For four centuries mosaicists from workshops in the great ports of Hadrumetum and Carthage, but also from cities in the interior, surrounded landowners, no less than ship-owners and fishing masters, with aquatic scenes . Everyone was drawn

by the sea and the pavements and walls of pools, basins, impluvia and baths became, because of their architectural function, the traditonal repositories of marine scenes, of the sea and its monsters and of the coast and its smaller denizens.
And so we see a patient fisherman with his rod and line or a man with a shrimping net; in the brightly coloured boats, the crew cast their nets or throw harpoons while others, naked as gods, take part in this draught of fishes, which is always miraculous, and wade among a mass of fish. Two panels from Dougga tell us of these peaceful events in teeming waters a mere stone's thrown from beaches and rocks.
A man pushes his boat out into the water and clambers aboard, another mends a net, a third goes to pull in a line on which he has caught a bream while the fourth is spearing a large octopus with a trident. In each of the four corners of a mosaic from Carthage fishermen with their rods sit, as Tunisian fishermen still do, with one leg bent under them and the other dangling ; between them we have a splendid display of marine life, of fishes and crustaceans. At Sousse, two naked and fair-haired boys are out at sea ; one is at the oars while the other stands in the bows and brandishes a harpoon ; nearby, lobster pots are being lifted into another boat among schools of red-mullet, of coalfish and of squids while the whole scene is dominated by a magnificent lobster like a high-prowed ship in full sail. There are a great many mosaics which reproduced endless variations on these auspicious themes.
Others, however, put the emphasis on representations of the coast and let their imaginations run riot. In the centre of a panel from El Alia, a seine net is spread on the surface of a lake while all around stretches an astonishing coastline covered with varied and charming buildings : towers, multi-storeyed pavilions with many windows, whether glazed or no, linked by colonnaded galleries, villas hidden among trees, huts, statues, chapels and walled gardens. The scenery is inhabited by a busy little population : a peasant drives his donkey, a rider sleeps by the water's edge beside his horse which is tethered to a tree, people are picnicking on the grass. This time the painter seems to have lost track of his theme ; nevertheless the fishing will indeed be memorable in that peaceful lake.
So long as the waters are full of fishes, of crustaceans and of sheel-fish, then all games are permitted : children fishing can move unhindered round an oarless boat in which a sumptuous personnage, who holds a torch in one hand, drifts with a female dancer as companion. But above all, chubby little Cupids are as much at home in the waves, among the boats, on beaches and in deep waters, as they are among the trellises. They swim, they fish, they row, they haul in huge nets, they bring in fish which are larger than themselves, they drift by the gunwales of the vessels. Their wings beat and they hang on the wind which blows up their tunics. They ride on dolphins and race four abreast and, naturally enough, their belts are the same colour as those of the circus factions. The mosaicist's fantasy and irony are always light and good-natured : these aquatic cherubs are Venus' pages and she sits above in her shell and smilingly watches their wonderful cavorting. Other gods are also happy to be surrounded by these curly-haired sprites, these everlasting children, these tokens of vitality and innocence. Dionysos appears, on a theatrical-looking galley, to punish the Tyrrhenian pirates who had captured him and they are so horrified to see their ship turn into a garden that they throw themselves into the sea where they are transformed into dolphins ; meanwile, Cupids sail around in a vessel which is scarcely less impressive and, indifferent to the tragedy which they are peopling, they continue to carry out their diminutive tasks with complete imperturbability and obstinately go on fishing, absorbed in their labours which inspired the mosaicist to multiply the representations of fish.
It must be clear by now that such a profusion would be absurd were it due merely to an aesthetic fascination for ichtyological forms, for the flash of fins and of scales to which polychrome mosaic technique was especially adapted. If this were the case, then birds, plants and insects would be equally popular. But when we note that a fish in a heraldic posture alone can often constitute the theme of a pavement or wall mosaic which decorated and protected the threshold of a bedroom and that, either on its own or with shell it becomes, naturally enough, a phallic symbol, we are bound to remember the role played by all sea creatures in all traditions and, more particularly, among Mediterranean peoples, whether of Indo-European or Semitic extractions. Water was, both for sailors and for ploughmen in arid lands, the most important of the four elements and the fish is its symbol par excellence, a symbol of life and fertility.
The fish is silent and inaccessible, it cannot live in other elements and it cannot live with man who feeds on it ; it lives in the depths of the sea and absorbs there the powers of the deep where all life is engendered and regenerated. The Carthaginians had borrowed the fish from the religions of Syria where it was the attribute of the goddess of Love ; as such, it still presides over marriage in the form of silver amulets, embroidered motifs, pottery

decoration and trinkets and at all times it is a prophylactic against the evil eye and evil spells. So life, good fortune and fertility are spread out before us by the mosaicists in the form of the living produce of the sea. Dolphins on mosaics carry the same meanings but more subtly expressed : they were the servants of Apollo and, as men's friends, they speak to them of spiritual health, of salvation and even, apparently, of transfiguration.
In this roundabout way we return to the wine, to wine and to drinkers. For these, without doubt, sing of prosperity and health, but not solely of localised, financial prosperity, nor yet of full bellies. The vine has never been a plant in the same way others are. The people of Asia Minor and the Phoenicians who brought the vine to Africa, looked upon it almost as a divine "tree". In the poetic books of the Bible (where we have repeated echoes of Mesopotomia and the Levant), the vine symbolises property and the assurance of a future : "Your wife shall be like a fruitful vine in the heart of your house" according to Psalm 128. The Greeks and the Romans attributed the care of the vine to a god who was as recent (all things are relative) as vine cultivation in Europe, namely Dionysos whose cult became increasingly popular throughout Antiquity until the advent of Egyptian and Eastern religions and mysteries. Wine was frequently associated with blood - less for its colour than for the fact that it was the essence of a plant - and it was always a life potion bringing initiation, joy and immortality. These characteristics were as evident to the Semites as they were to the Hellenistic disciples of Dionysos, and were found to be not only necessary but indispensable as is evident when we see how they were transposed into the symbolism of Christian mysticism and Islamic Sufism. How can we therefore deny that the mosaicists and painters of wine harvests and drinking scenes were aware of them ?
Whether overtly, covertly, unconsciously or automatically, these scenes always refer back to the cult of Dionysos (Bacchus). This divine youth, the "twice-born" son of Zeus and of a mother-goddess of Asiatic origin, is the lord of wine and of seasonal renewal, of the principle of animal fertility. If we take into consideration the secret or public rituals of the Bacchanalia or of orgiastic feasts, we can easily ascribe to him the attributes of a god of overthrown taboos and of unrestrained exhuberance - this at least was Nietzsche's interpretation of his character as opposed to Apollo's serene wisdom. For his followers in Greece, in Italy and in Africa, however, his name also spelt freedom from the powers of hell, initiation and inspiration of souls. In the past in the ancient ceremonies at Eleusis, he had descended to Hades either to seek for his mother or to represent the succession of seasons and had thus incarnated a manifestation of one of the most powerful themes in art, in thought an in imagination, namely the theme of Death and Resurrection. These ideas, and especially the myths and legends by means of which they were transmitted, were so current in Antiquity, had become so impressed on people's minds and were so much part and parcel of their "culture" that we cannot presuppose that those who ordered a Dyonisiac theme as the subject of a painting or mosaic were necessarily adherents to or participants in the cult. We should ascribe such a choice rather to fashion, custom or the spirit of the times. "Drink and you shall live" is the formula inscribed on the amphoras which attendants are carrying to serve two people - who may be charioteers - on a large mosaic from Dougga. Whether this was a religious formula or a magisterial command, it is reinforced by the presence of ivy leaves painted on the vessels. Indeed, ivy is a customary symbol of Dionysos who uses it, as he does vine-shoots, in order to drive women who reject his cult into a state of frenzy. This motif of ivy on a stem is also found on the El Jem mosaic with the five costumed banqueters, while the other emblems which they display are no less rich in significance, allusions and memories. A green branch has always been a universal symbol of victory and ascension. The reed is the talking reed of the legend ofMidas, the reed of the Dervishes' flute, a voice which weeps and signs, which seeks to communicate, which calls for union. The crown retains the prophylactic virtues of the materials from which it is women or worked, whether flowers, leaves, metals or precious stones, while its circular shape recalls that of the sky. As a sign of consecration, the crown deifies the person who wears it or, at any rate, it sets a seal on his spiritual status. Plutarch wrote that : "He who is freed by initiation and can walk without constraint, can celebrate the mysteries with acrown on his head". It shines on the mosaic and, both radiant and radiating, it bears witness to the highest achievements of spiritual advancement. As for the crescent moon, always a favourite theme for women's jewel,s its meaning is still undeniably that ascribed to it by the Ancients : periodicity and transformation, leading to renewal and, of course, growth. It might be difficult to see what relationship could have existed between Dionysos and the female satelite of night, were it not for this emphasis on initiation in the scene, and were it not also for the light thrown yet against by some lines from Plutarch : "The moon is the place to which men go after they die. There, they

lead a life which is neither divine nor blessed, but which is, nevertheless, free from cares until their second death...".
There are no difficulties, however, attached to the interpretation of the meaning of the five bulls which are depicted lying at the bottom of the panel where a proverb is inscribed, wishing them sleep. Even at rest, bulls conjure up irresistible strength and impetuosity and they are dedicated both to Poseidon, god of storms, and to Dionysos, god of virility. It is this same strength which is symbolised by the rhyton in the sculpture of the drunken Dionysos, for a rhyton is a horn or a drinking vessel shaped like a horn.
In looking at such works of art, we should not use "realism" as a criterion of veracity and it would be useless to talk of success or failure in depicting nature, men and events. The mosaicists were realists in the same way as their colleagues at Pompei and Herculaneum ; they certainly depicted plants, animals, buildings and people as accurately as possible. They only took pains with this realism in so far as they were good craftsmen, however, and it is probable that they were not even aware of discrepancies when, because they did not have a model before their eyes, they produced false perspective, for instance (as did everyone before true perspective was discovered in the renaissance), or drew the muzzle of a lion wrongly. Furthermore, they were not seeking to produce a day to day chronicle of their contemporaries' chances and mischances, but they were merely interested in adapting new material to old themes which they considered to be permanently valid. The scenes and figures which we are enumerating and discussing are the translations of these themes, their symbolisation or, simply, their ornamentation as a game or for the requirements of decoration.
Are we wrong, therefore, in looking for representations of daily life in ancient Tunisia ? I think not. But these subjects were not treated on their own merits and if mosaicists produced the profusion of sketches, of scenes and of portraits which we enjoy, then it was because they were obliged to. Indeed, no painter and no writer can invent clothes, architecture, tools weapons and gestures ; he uses those which he can see or, if need be, those from the past which he has inherited from this precedessors. Even if he is depicting fantasies or monstrosities, he cannot seek inspiration beyond what his own age has achieved ; generally, he is incapable of transcending the form which society has so far produced. He can mix them, deform them at will, they nevertheless existed before he created them. That is why, perhaps in spite of himself, he is the mouthpiece for work, for political contacts and for a precarious world. The frescoes in which Indian, Chineses and Cingalese monks have piously depicted the pevious lives of the Buddha, were never intented as the record of the costumes and customs of the period which they, in fact, are. In the same way, the most fervent Christian paintings of the late Middle Ages can be used by historians to document their knowledge of the furniture, textiles, ornaments and musical instruments in use at that time.
African mosaïcists were equally successful in ingenuously copying their models, either from nature as they saw it - for we can never see nature as it really exists - or from collective imagination. They would copy ears of corn, but their primary interest would be in the representation of Ceres. They copied vines and wine-presses, but the central image would be that of Dionysos. However they are shown, whether surrounded by drama, overloaded with decoration, encumbred with romantic intrigues, or whether alone, these deities were never intended to serve as a slogan or to be used for accounting proposes. Vines and wheat are the symbols of Dionysos and Ceres ; the reverse can only be truee, in a sense which is neither modern nor profane, if these cultivated plants retain something divine.
In this same way the sea refers us back to the beginnings of science and of dreams, to primaeval metamorphoses. On mosaics, however, it is also the frame and the kingdom, teeming with attributes, of the gods who preside over these beginnings and metamorphoses ; mythology rules supreme. Some of the most famous pavements of Tunisia, from La Chebba, Sousse, Utica and El Jem, are hymns to the god Ocean,the Punic Yam, the Greek Poseidon, the Latin Neptune. He is shown standing draped in a rainbow, driving a team of fantastic sea horses, or naked and brandishing his trident above the waves, surrounded by a luminous aura.
This disquieting brother of Zeus is scarcely less brilliant than the chief of the gods but is often as threatening as the third brother, Hades. he always appears in majesty and his gestures and posture are always those of kingship. This choice of African mosaicists in favour of a mighty but placid Neptune is remarkable since this is not in accordance with the traditions recorded by Homer and the earliest collectors of myths. These write of a terrible and fantastic god, a god of storms and a symbol of violent domination. The offspring of his innumerable amorous encounters with goddesses and mortals, are always bandits and monsters, with the one exception of that mysterious daughter he had by Demeter, whose name, according to Pausanias, "only the initiated may know". He is the god of howling and violence and

even of earthquakes, for the land rests on the waters. He is the god of the deep where life in chaotic forms first stirs ; he ist the lord of elemental forces...
This, at least, was the Poseidon which the workmen of Hadrumetum should have inherited from the Greeks. It is true, however, that the Latin Neptune was generally calmer and more unconstrained though he also held sway over the waters of the deep. He was, after all, also the god who ruled the rivers, the lakes, the springs and even the garden ditches. But this god of irrigation and municipal drainage does not seem to have been the choice of the mosaicists. Their Neptune, their Ocean does not threaten anyone with his trident which is, when all is said and done, only an old bit of fishing equipment ; he does not thunder and neither does he scowl. He pays no attention, however, to the sluices and chanels. He rule peacefully over the wild or friendly waves and over a mottley collection of animals and monsters which the waves are ceaselessly begetting and with whom he willingly mixes.
And so finaly we are bound to conclude that his impressive but pacific majesty and his paternalistic serenity go back to the old Ocean of the Phoenicieans. In spite of Hellenistic trapping and the roles which mythology and pictorial tradition forced him to play, it was Yam who survived and gave his amused blessing to an unchanging Africa who adopted new languages without selling her soul. This god, then, adorns ornamental pools in gardens and the apses of thermal establishments. he is a mighty old man, richer in energy - whether contained, or released without check - than even an enthusiastic Dionysos or aan undecided Herakles.
He is both of this world and beyond it. He smiles undismayed, into his beard of women algae, at the childish adventures of men and gods ; eras and reigns run their course while he broods over them with his huge tangled head of hair from which rise antennae and lobster claws. He commands and appeases and the waters which can be terrible, can also be beneficent.
Nevertheless, this African Neptune is rarely alone ; he is escorted by strange beings which the mosaicists had drawn so whole-heartedly from greek and Oriental painters that they probably half expected to see them appear through the silver mists which sometimes surround Jerba and which often cloak Bou Kornine. There are leaping sirens - bird-women and not fish-women as in Nordic legends - whose wonderful beauty and singing drive sailors to shipwreck. Their powers of seduction are so deadly that sailors cannot resist them unless, like Ulysses, they bind themselves to the hard reality of a mast, the centre of the ship and the vital axis of the soul. There are also surrealist hybrid creatures, the products of endless primitive nightmares, half fish and half horse, half man and half fish ; thee are all the grotesque off-spring of Poseidon and his untouchable grand-daughers, the fifty Nereids. But this part animal, part divine, part human fauna does not inspire terror or, at any rate, not as depicted by the mosaicists. That was not the aim, for this fauna is there to remind us humans that we belong to two worlds - the naimal and the divine - and that it depends entirely on us, which predominates.
The perfect or imagined fulfillment of the gods, when they do not participate too act vely in sub-lunar quarrels, is also depicted in large scenic mosaics like thatfrom the "Maison de Caton" at Utica, where Neptune appears together with Amphitrite, his consort. Three ships escort their celestial chariot and on one of these lies Venus ; an attendant Cupid brings her her jewels and two birds carry her necklace. Venus-Amphitrite does not only play a subsidiary part, however, and numerous mosaics, both in Africa and in every province of the Empire, are dedicated to her and sing her praises in the traditional poses of beauty, charm and adornment. In Africa more than elsewhere, however, she is associated with the sea. She is "Anadyomene", born of the waves, sprung predominantly from her religions in Asia for, under the guise of an innocently libertine Venus, the mosaïcists are constantly hinting at the presence of Ishtar, of the great Syrian and Phoenician goddess. The Greeks had made her their own and had even made Cyprus her birth-place but they had not endowed her with particularly bourgeois virtues. Their Aphrodite rose from the sea because she was the daughter of the seed of the Sky which was spread upon the waters after Ouranos had been castrated by his son Cronos. She was the bride of the lame Hephaistos-Vulcan, whom she more than once turned to ridicule, and she symbobilises the forces of erotic passion. "Even Zeus" head is turned", so a Homeric hymn informs us, and it goes on to describe her followed by a procession of wolves, lions, bears and panthers which, when she commands them "will all copulate together in the shadow of the valleys". Other poets call her a "killer of men". Fortunately, since the old myths are no less complicated than human realities, the deadly goddess protects cities in her celestial capacity, presides over shipping in her marine aspect, while her chthonic aspect makes her the guardian of burials and her role as dispenser of desire causes her to preside over marriages and family life. All in all, she is a versatile goddess who is full of resource.
Aphrodite certainly provided mosaicists

and their clients with an enlivening theme. Even metaphysical fables become the excuse for a spectacle however, and intellectual or religious effort can be postponed. Marriages, triumphs, apotheoses were so many pretexts, especially in Africa, for fantastic spectacles. Orpheus himself served as a pretext, though he was not a god and did not rule the seas or the stars ; his magical musicianship, however, not only tamed animals, plants and storms but even enabled him to obtain from the gods of the underworld the freedom of his Eurydice. The story of how he failed to bring her back to this world because he was assailed by doubts on the way, is well known, and later, inconsolable, he was to be torn to death by women. It was this string of failures which made of him a hero, for the Ancients were particularly drawn to this unhappy artist who symobilises the ability to fight evil by putting it to sleep but who cannot destroy it and who dies because of his ow weakness. They were fascinated by his fragile hold over the incomprehensible powers of Life and Dealth ; they made him the founder of the mysteries at Eleusis ; they followed him to the gates of hell ; they saw in him a man who had almost vanquished Death.
Apotheoases and celestial coronations also help to vanquish disorder and fear. We do not know whether the people who looked at these mosaics fifteen or eighteen centuries ago, questioned the knowledge of the painters or the meaning of the myths. They certainly knew the myths and commented on them but they probably rarely gave them much thought. They were neither more nor less vulnerable than we are and so they liked to surround themselves with beneficial representations which proclaimed an ordered way of life in which joy and love have their appointed place, beauty is sacred and there is room for hope. Thus mosaics reveal to us these peopole's inner thoughts as well as their work and play. They bequeath to us their dreams and their forgotten gods, their neglected gods who cannot surrender their territory, who sleep in the sun on this unchanging coast, amont the ploughed fields which now belong to One God, and in the lee of rocks where every spring new flowers blow.

Georges FRADIER

ROMISCHE MOSAIKEN IN TUNESIEN

Kein anderes Land besitzt so viele Mosaiken wie Tunesien, kein anderes Land ist so leicht bereit, freigebig davon über alle Kontinente zu verteilen. Diese Freigebigkeit ist so eng mit der Lebensfreude in diesem Land verbunden wie diese Kunst selbst mit dieser Erde. Es ist sicher nicht sinnvoll, sich zu fragen, ob die Bewohner dieses kleinen "Africa" in den ersten Jahrhunderten unserer Ära wohlhabender oder sorgloser waren als wir. Beim Vergleich ihrer Kunst mit der unseren jedoch ist man geneigt, das zu glauben : Jedes dieser Mosaiken, bis zum 6. Jh. hin, strahlt eine Art verlorenen Glücks aus, echte Freude, wenn auch manchmal auf naive Art, manchmal etwas geziert oder vielleicht sogar künstlich und unnatürlich wirkend. Aber selbst dann stellt jedes Mosaik eine Art Kommunikation mit dem Betrachter her, auf die gleiche Weise wie das Theater, das unsere Gefühle anspricht und unser banales Alltagsleben verändert darstellt. Mosaiken sind Kunstwerke, das muss deutlich gesagt werden für diejenigen, die sie vielleicht noch als minderwertige Kunst betrachten ; sie haben ihre eigene Technik, in dem Wort "Mosaik" selbst steckt das Wort "Musen". Aber man ist geneigt, diese Künst, die manchmal etwas hochtrabend wirkt, als nicht ganz ernst gemeint zu empfinden. Als wäre sie für die Künstler selbst ein Spiel, ein wunderbares Geduldsspiel - dabei ist nicht zu vergessen, dass jedes Spiel eine ernsthafte Sache ist !
Am Anfang war es ein Spiel der Gipser und Steinsetzer, die die kindliche und gleichzeitig geniale Idee hatten, Platten oder Splitter von schwarzem und weissem Marmor abwechselnd zu setzen oder farbigen Kies einzufügen oder Steine mit kontrastierenden Farben auf einfarbigen Grund zu setzen. Diese Technik soll aus Asien stammen, wie schwarz, gelb oder rot gefärbte Kegel aus gebrannter Erde bezeugen, aus denen man vor etwa fünftausend Jahren Rauten, Spiralen und Sparren formte, mit denen die Fassaden der Paläste in Mesopotamien verziert wurden. In Kleinasien, Ägypten und Kreta hat man Fussböden mit in Zement getauchten Muscheln und kleinen Steinen gefunden. Diese verwitterten Verzierungen kann man jedoch offiziell nicht als Vorfahren des echten Mosaiks bezeichnen. Da müssen wir auf das 4. Jh. vor unserer Zeitrechnung zurückgehen, als in Griechenland kleine Steine zu abwechslungsreicheren und deutlicher zu erkennenden Mustern zusammengesetzt wurden. Der Unterschied zwischen der naiven Geometrie der ersteren und der Mythologie der letzteren ist jedoch nicht gross. Die Kunst wurde weniger gegenständlich und hatte dafür mehr magischen Charakter. Es ist sicher kein Zufall, dass man auf den blutroten Fussböden, mit denen auf bescheidene Weise die punischen Häuser in Kerkouane verziert wurden, so mächtige Symbole wie das der Göttin Tanit zwischen zwei Fischen findet.
Zu dieser Zeit machten in Griechenland die Künstler-Handwerker (es gab keine Diskriminierung zwischen den verschiedenen Handarbeitern, die alle in gleicher Weise unter dem Segen der Götter standen) aus diesem Spiel einen echten Wettstreit mit den Webern und Malern. Sie fertigten aus hartem Material das an, was die anderen mit einer feinen Schicht Ol oder weichen Wollfäden herstellten. Mit Hilfe von Mineralfragmenten wollten sie unauslöschliche Fresken und unverwüstliche Teppiche erschaffen. Und das gelang ihnen so gut, dass sie weder auf ein perfektes Muster noch auf den Glanz der Farben verzichten mussten ; es gelang ihnen sogar, die Wirkung von Schatten und Relief hervorzuzaubern. In der ersten Zeit wurden die Mosaiken ausschliesslich für religiöse Gebäude geschaffen, aber als die griechischen Handwerker nach Rom und später in die Provinz zogen, stellten sie ihre Kunst auch in den Dienst der wohlhabenden Bürger. Patrizier, hohe Beamte, Prinzen und Händler leisteten sich den heute unvorstellbaren Luxus, in ihren Gärten das Wasser der Springbrunnen über Kunstwerke fliessen zu lassen, die durch das Wasser belebt werden : die Fische schwimmen, die Götter lächeln. Sie wandelten in ihren eigenen Häusern wie in öffentlichen Bädern zwischen Bildmauern und schritten auf Gemälden oder zumindest auf deren wertvollen Umrandungen, denn das Zentralmotiv, die "emblema", war nur zum Betrachten und nicht zum Betreten.
Diese herrliche Lebensweise in der Umgebung frischer Bilder hatte bekanntlich eine grosse Ausstrahlung : Innerhalb weniger Generationen dehnte sich die Kunst der Mosaiken, ihre Techniken und ihre Motive, auf die gesamte griechisch-lateinische Welt aus : von Syrien bis Grossbritannien. Es handelt sich hierbei keineswegs um eine Ausdehnung im kolonialistischen Sinn, von einem erlesenen Zivilisationszentrum aus ; die Provinzen ahmten nicht einfach die Metropole nach und nicht in Italien selbst entwickelte sich diese Kunst am freiesten und einfallsreichsten. Die meisten Schöpfungen kamen von der Peripherie und vor allem aus Afrika : aus Tunesien. In Hadrumete (Sousse), das immer in enger Verbindung mit Alexandrien stand, in

Karthago, in Utica und später im Landesinneren in Uthina (Oudna), in Thuburbo, in Thydrus (El Jem) entstehen immer mehr Werkstätten, in denen verschiedene Spezialisten zusammen arbeiten : der Maler, der auf eine Leinwand das Bild und die Verzierungen in allen Einzelheiten zeichnet und dabei mit dem Bleistift die Farben, die Farbnuancen sowie die Umrisse angibt ; die Arbeiter, die sorgfältig die Mosaikwürfel auslegen, um das Bild verkehrtrum darzustellen. Andere Handwerker haben inzwischen den Marmor, den Basalt, den Granit, den Reibstein oder die Glasmasse mit einer Säge in Stäbe und anschliessend zu Würfeln zugeschnitten. Während der Arbeit müssen diese Materialien des öfteren poliert werden. Wenn das Mosaik fertig zusammengesetzt ist, wird auf der Unterseite der Würfel eine Zementschicht aufgetragen, damit das "emblema" zu einem Steinblock wird, den man transportieren kann. Bei grösseren Arbeiten werden die Würfel auf die Leinwand geklebt, die dann an ihren Bestimmungsort getragen und dort auf frischen Zement ausgerollt wird.
Die Werke trugen manchmal die Unterschrift eines Malers oder des Besitzers ; griechische, lateinische oder punische Namen. Es gab keinerlei ethnische Diskriminierung innerhalb dieser Arbeitsteams, die in kürzester Zeit die Böden und Wände der öffentlichen Gebäude - Tempel, Bäder, Theater-sowie der Häuser wohlhabender Bürger mit frischen, kräftigen Farben bedeckten. Während heute selbst die reichsten Nationen mit ihrem Budget für sozial - kulturelle Ausstattungen knauserig sind und stolz auf ihre nackten Betonwände sind, hatten im römischen Tunesien während mehr als vier Jahrhunderten Ansiedlungen mit fünftausend Einwohnern (wie z.B. Thugga - Dougga) ebenso wie die grossen Städte Anrecht auf prächtige Bauten, die mit wunderschönen Mosaiken verziert wurden, sowie auf zahlreiche Statuen. Sowohl im öffentlichen wie im privaten Leben waren die Gutsherren, die Schiffseigner, die Getreide-Öl- und Weinhändler von einer allgegenwärtigen Kunst umgeben, die sie selbst und die Welt, in der sie lebten, im besten Licht erscheinen liess.
Nach demselben Plan, sei es punisch, hellenistisch oder einfach, wie es heute erscheint, nordafrikanisch, wurden aus einfachen Häusern riesige Villen. Um einen Hof unter freiem Himmel wurden Zimmer, Läden und ein zur Strasse führender Vorhof angelegt. Dieser Plan ist noch an Bodenresten in Kerkouane und in einigen Vierteln in Karthago zu erkennen sowie in vielen heutigen Orten in Tunesien. Auf die gleiche Weise, wie dieser Plan in den Palästen in Tunis im 17. und 18. Jh. zwei - oder dreifach ausgeführt wurde, indem grosse Zimmer und Empfangsräume um zwei oder sogar drei Innenhöfe und Gärten angelegt wurden, waren 13 Jahrhunderte vorher nicht nur auf dem Lande, sondern auch mitten in der Stadt in schönen Vierteln Häuser von einem halben Hektar Oberfläche erbaut worden. Sie hatten monumentale Eingänge, grosse Hallen, Tore mit verzierten Säulengängen, Gärten und Schwimmbäder und ähnelten in der Tat auf erstaunliche Weise den Filmvillen von Hollywood und Cinecittà.
Springbrunnen, Wasserbecken und Apsiden waren mit Meeresmotiven verziert. Andere Mosaiken zeigen dem Archeologen, ob es sich um Empfangsräume, Speisesäle, Schlafzimmer oder Alkoven handelte. Ohne die Hilfe des Dekors sind so Kirchen, Öfen, Badezimmer, Zentralheizung, Brunnen und Ziternen zu erkennen. Wunderbare Ziternen, versteckt oder offen, oft auf freiem Feld, sind Zeugen vergesssener Städte ; die Ziternen von Karthago, in denen das Wasser von Zaghouan ruhte ; Gemeinschaftsziternen für Wohnblocks ; mehrstöckige Ziternen in den Palästen. In dieser Zeit war das Wasser das beherrschende Element, es stand allen ausreichend zur Verfügung, wenn auch nicht alle den Komfort der Bewohner von Thysdrus genossen, die von der Stadtverwaltung mit fliessendem Wasser versorgt wurden. Voller Bewunderung sehen wir uns gegenüber den Hydraulikern und den Installateuren der Antike, sowie ihren Meistern, den Architekten, die es verstanden, sich dem Klima anzupassen oder das Klima ihrem Willen unterzuordnen, wie ihre doppelten Häuser bezeugen, z.B. die in Bulla Regia : im Erdgeschoss Höfe, Wohnzimmer und Tore für die Winterzeit und darüber spiegelgleich dieselbe Ausführung für den Sommer, mit ebenso vielen Mosaiken unter der Erde wie im Freien. Und wenn man sich wünscht, dass die Architekten bei ihrer Arbeit das Volk und seine Traditionen berücksichtigen, kann man sich gut vorstellen, dass sie sich damals von den Berbern im Süden und den vergrabenen Innenhöfen, die man heute noch in der Gegend von Matmata sehen kann, inspirieren liessen.
Weniger Einfallsreichtum erforderte zweifellos der Bau der Villen am Meer. Hunderte von Überresten gibt es von diesen Häusern mit ihren Terrassen, ihren Gärten und ihren an einen Abhang oder eine Klippe gebauten Toren, ihren Marmorstufen und ihren Mosaiken, die bis zum Sand, ja bis zu den ersten Wellen reichten. Eine dieser Villen, die vor kurzem am Fusse des Hügels von Kelibia freigelegt wurde, erinnert an die Glanzbauten in der

Bucht von Neapel, wo sich in der Antike berühmte Millionäre niedergelassen hatten. Es war eine Fundgrube für tausende von Mosaiken.
Fast die einzige Informationsquelle sind dagegen Mosaiken bei bestimmten Landsitzen, die im 4. Jh. entstanden. Es handelt sich um massive Gebäude mit einer gewaltigen Fassade und einem einzigen Eingang, mit viereckigen Ecktürmen und engen Fenstern wie Schiesscharten. Der Sitz des Gutsherrn Julius, dargestellt auf einem Mosaik in Karthago, sowie die burgenartigen Gebäude auf den Mosaiken in Oudna und Tabarka zeugen von der Angst der Reichen vor Plünderungen und Aufständen, als ihre Macht nachliess. Diese Zeiten der Unruhe sind jedoch keine Zeiten der Entbehrung, denn die "afrikanische" Wirtschaft bleibt blühend, selbst unter den Vandalen und bis über die Zeit der arabischen Eroberung hinaus, als Italien und Gallien in Anarchie verfallen waren. Die kleinen Schlösser inmitten von Parks waren nicht ohne Säulengänge und beheizte Schwimmbäder zu denken - und natürlich nicht ohne Mosaiken. Dieser Baustil scheint übrigens auf jahrhunderte alte Vorbilder zurückzugehen : eine punische Darstellung auf einer Grabmauer in Jebel Melezza in der Nähe von Kerkouane zeigt eine seltsame Ansiedlung, die aus fensterlosen Mauern besteht, die sich zu einer Art Stadtmauer schliessen und die von überdachten Gängen und Kuppeln bzw. abgerundeten Türmchen nach oben hin abgeschlossen werden. Diese festungsartigen Bauten waren wahrscheinlich in den letzten Jahrhunderten v. Chr. in Ägypten und in punischen Niederlassungen sehr verbreitet. Hannibal soll so ein Haus im Sahel gehabt haben. Aber zur Zeit des Späteren Weltreiches kam auf dem Land in Tunesien ein nicht so starrer Baustil hinzu : zwei Vorderbauten wurden durch regenbogenförmige Gänge mit dem Mittelbau verbunden. Diesen krummlinigen Plan, der auch in Europa bekannt war, kennen wir dank eines Mosaiks von Cincari (Henchir Toungar). So stellten die eitlen Grundbesitzer ihre Häuser auf Mosaiken dar und besonders ihre Zweitresidenzen, die für Spiel und Unterhaltung da waren. Der eigentliche Sport jedoch ist nicht ausserhalb der städtischen Menschenmengen denkbar. Wie heutzutage gehörten Geld und Sport zusammen, mehr noch als heute zählte der Sport im politischen Leben. So belohnte ein Stadtrat eines kleinen Ortes nahe bei Zaghouan z.B. seine Wähler mit einer Turnhalle für Spiele und Faustkämpfe. So veranstaltet ein Priester in Tuccabor (Toukaber) auch diese Art von Kämpfen und liefert das für die Sportler notwendige Öl dazu und stattet die Turnhalle mit einer kuppelförmigen Decke voller Mosaiken aus. Unter den Antoninen und den Severern (2. und 3. Jh.) sorgten die Adilen ganz allgemein dafür, dass alle grösseren Ansiedlungen mit einem Stadion, einem Zirkus und öffentlichen Bädern, mit Palästra, Schwimmbad und Turnhalle versehen wurden. Denn die jungen Afrikaner waren alle Mitglied der Juventus ihrer Stadt und trainierten regelmässig in speziellen Einrichtungen, die bekannt waren durch die Palästra der Petronii in Thuburbo Majus und vor allem die Schola der Juvener von Mactar : Es handelt sich um rechteckige Sportplätze, umgeben von Toren in der Nähe der Bäder und der überdachten Turnhallen. Ausserdem hatten einige Stadien Räume extra für Ballspiele. Die Bälle waren wie alle, die vor der Entdeckung des Gummis benutzt wurden : Es waren Blasen, nicht ganz rund, die mit Federn gefüllt und von Leder umgeben waren, mit denen man bestens Tennis (aporrhaxie) oder Volleyball (follis) spielen konnte. Während es im Landesinnern Freibäder und beheizte Bäder gab - die Bewohner von Gafsa verfügten sogar über eine warme Quelle, bevorzugten die Küstenbewohner oft das Meer. Plinus der Jüngere war in Hippo Diarrhytus (Bizerte) so begeistert davon, dass er es in einem seiner Briefe beschreibt. Und in eben dieser Stadt wurde am Fundus Bassianus ein Mosaik gefunden, dass das Strandleben beschreibt ; Fischer in Barken, ein Taucher beim Sprung, dazwischen tummeln sich die Badelustigen, unter ihnen ein Unvorsichtiger, der einen riesigen Fisch verschlingt. Eine friedliche Szene stellt ein Bodenmosaik einer majestätischen Villa in Piazza Armenina im nahen Sizilien dar, das drei badende Damen zeigt, die, wie die Archeologen sagen, einen Bikini tragen! Besonders beliebte Themen waren die olympischen Wettkämpfe und die Reiterspiele. Auf dem "mosaique aux chevaux" in Karthago ist ein Rennpferd in vollem Lauf zu sehen ; auf dem Mosaik aus den Thermen von Gightis (Bou Grara) kämpfen zwei Ringer ; auf einem Bodenmosaik in Utica ringen vier nackte Athleten, hinter ihnen ein Tisch mit den Trophäen : ein Kranz und zwei Palmenzweige. Wie ein Mosaik aus Bou Argoub zeigt, konnten die Preise aber auch verlockender sein : Neben der Palme und dem Kranz eine wonl gefüllte Geldbörse. In Thuburbo Majus hat der Besitzer des "Maison du Labyrinthe" auf einem Mosaik das Porträt eines berühmten Faustkämpfers darstellen lassen. Es ist ein etwas dicker, aber hübscher Junge, der seinem Gegner die Schläfe aufgerissen hat, welcher demzufolge in die Knie gegangen ist.
Brutalität ging leicht in Abscheulichkeit

über, wie einige bei den Römern im 2. und 3. Jh. sehr beliebte Vorführungen zeigen : Gladiatorenkämpfe, oder zum Tode Verurteilte, die Raubtieren vorgeworfen wurden, darunter auch bekanntlich drei - oder viermal junge Christinnen, die durch dieses Blutbad zu einer gewissen Berühmtheit gelangten. Es scheint jedoch, dass die Afrikaner weniger Gefallen an solchen Darbietungen fanden als der Pöbel der Metropole und dass sie die echten Zirkusspiele bevorzugten, das heisst die Wettrennen. Um die Plattform (Spina) in der Mitte der Arena kreisen die Wagen mit zwei, vier oder sogar zwölf Pferden, möglichst sieben Mal. Der siegreiche Wagenführer gelangt zu Wohlstand, und ein Mosaik macht seinen Namen unsterblich ; so der glückliche Eros von Dougga oder der glückliche Scorpianus, der sich eine prächtige Villa am Rande von Karthago erbauen liess. Das Volk hat berauschende Stunden erlebt, die Organisatoren und Tierzüchter haben sich bereichert und die Verwalter haben eingesehen, dass es leicht ist, über Bürger zu regieren, deren einzige Parteien die verschiedenen Mannschaften sind.
Jahrhundertelang teilte sich Karthago in zwei Lager : die Blauen und Roten, die zusammen eine Abteilung bildeten und mit den Weissen und Grünen rivalisierten. Einer derjenigen, die von diesem Sport profitierten, war der "blaue" Sorothus, ein grosser Tierzüchter aus der Gegend von Souk Ahras, der sein Gestüt auf Mosaiken in seiner Villa in Hadrumet darstellen liess. Das grosse Bodenmosaik des "maison aux chevaux" in Karthago zeigt 60 berühmte Pferde, gesattelt und geschmückt, mit den Initialen ihrer Besitzer. Ein anderes Mosaik in Karthago zeigt den Gewinner, der schon die Palme hält, während seine Rivalen noch die letzte Runde zurücklegen müssen. Die begeisterte Menge, die sich erwartungsvoll auf den Rängen drängt, ist auf einem Bodenmosaik in Gafsa dargestellt. Klopfenden Herzens sitzt einer, der gewettet hat, neben einem Sadisten, der darauf wartet, dass ein Wagen die Kurve verfehlt, denn das verspricht einen herrlichen Unfall mit Getöse, Wut und Blut. Mit Hilfe von Magie kann das Geschehen beeinflusst werden : Die Macht des Bösen kann durch Bleikugeln, die den Fluch enthalten, gegen die Rivalen heraufbeschworen werden. Eine dieser Kapseln wurde in Karthago gefunden und stand in Zusammenhang mit der Opferung eines Hahnes : "So wie die Füsse, die Flügel und der Kopf des Hahnes festgebunden sind, so mögen morgen die Füsse, die Hände, der Kopf und das Herz Vietorius, des Wagenführers der Blauen, unbeweglich sein und ebenso die Körperteile der Pferde, die er lenkt..." Und neun Pferde werden genau benannt. Die Afrikaner waren zweifellos engagierte Sportler, aber sie vergassen, wie es scheint, manchmal die edlen Tugenden des Athletismus.
Ob die Jagd mit edleren Gefühlen und würdigerem Verhalten durchgeführt wurde, ist fraglich. Auf den Mosaiken jedenfalls nimmt sie sich glänzend aus, wobei man nicht immer weiss, ob sie ein beliebtes Motiv der Maler oder Kopierer internationaler Vorbilder war oder als Trophäe der Gutsherren diente. Der Ablauf der Jagd scheint meistens einer bestimmten Ordnung zu folgen : Eine religiöse Zeremenie zur Segnung der Jagdhorde vor dem Aufbruch, dann die Verstreuung der Beteiligten über das Land, das Auflauern, die Verfolgung und die Erlegung des Wildes, und zum Schluss die triumphale Rückkehr mit der Beute. So wird die Jagd auf mehreren Bodenmosaiken in Utica, El Jem, Sousse und Althiburos dargestellt. An anderen Stellen werden Jagdszenen einfach zu dekorativen Zwecken verwendet : Hasen, Rebhühner, Enten, Kraniche und Wildenten. Auf grossen Gütern wie dem des Julius werden sie, zwischen Olivenbäumen und Zypressen, wie militärische Expeditionen dargestellt. Auf einem Mosaik in Karthago wird die Wildschweinjagd in allen Einzelheiten in drei Reihen gezeigt, vom Auslauf der Hunde und Treiber bis zur behutsamen Erlegung des Wildes durch Einfangen im Netz. Ein anderes Bodenmosaik zeigt die verschiedenen Taktiken und Jagdgeräte : einige Reiter, umgeben von Zuschauern, machen sich an den Angriff eines Wildschweins ; andere verfolgen einen Hirsch ; weiter weg werden Panther mit Schild und Bogen erlegt ; an anderer Stelle wird ein Löwe auf nicht gerade ehrenvolle Weise gefangen : eine in einem offenen Käfig angebundene Ziege wird auf einer Karre langsam gezogen ; wenn der Löwe sie anspringt, wird der Käfig geschlossen ; und der Löwe beendet sein Leben im Zirkus. Die erfolgreichen Jäger vergassen nie, sich gegen die Kräfte des Bösen und des Neides zu schützen und Diana und ihrem göttlichen Bruder Apollo Opfer zu bringen und ihnen ein Mosaik zu weihen.
In Uthina (Oudna), das vom Aquädukt von Zaghouan überquert wird, stellt das Mosaik der Laberii die Herren der Familie in Form von kräftigen Burschen dar. Furchtlos greifen sie das Wildschwein mit ihrem Schild in der Hand im Nahkampf an, sie stürzen sich auf den Panther und schwingen die Lanze. Die vom Jagdeifer ergriffenen Bauern fangen inzwischen Vögel mit Ruten und Stecken ; einer von ihnen kriecht unter einem Ziegenfell, um eine Schar Rebhühner zu fangen.
Diese Spiele oder Betätigungen sind keine Jagd im eigentlichen Sinne mehr. Sie gehören zum Alltagsleben auf den Landgütern, aus denen die ganze Provinz

schöpft. Vom Meer bis zur Küste hin erstrecken sich die Felder und Obstgärten, auf die die Afrikaner stolz sind und die Ausgangspunkt einiger ihrer originellsten Mosaikmotive sind. Unter dem Zeichen der personifizierten, gleichsam vergöttlichten Jahreszeiten, die manchmal den Geist der Erde umgeben, werden die Ernten dargestellt, die zu einem grossen Teil Rom als Nahrungsquelle dienen : drei Jh. lang entladen die Schiffe des Prokonsulats jedes Jahr in Ostia 12000 Zentner Korn und Gerste. Aufden Bodenmosaiken von Oudna und Karthago, dem unerschöpflichen Mosaik des Julius, werden die jahrhunderte alten Arbeitsweisen dargestellt : das Pflügen im Herbst, die Aussaat, das Eggen, die triumphale Ernte im Sommer, das Dreschen mit dem Flegel oder mit Hilfe der Pferdefüsse, das Schwingen des Getreides und das Einlagern in grosse, gewölbte Scheunen.
Bäume und Büsche um die Häuser herum weisen auf einen anderen, nicht minder wertvollen Ertrag hin : die Olive, der in den "römischen" Jahrhunderten vor allem anderen der Bevölkerungszuwachs und die Entwicklung der Städte zuzuschreiben war. Es gab mehr städtische Ansiedlungen als heute. Olivenhaine gab es in den Vororten, am Rande der Felder und Wege und selbst zwischen den Weinstöcken ; Olivenhaine im Sahel, die den Bürgern von Hadrumet und Thysdrus
(das Amphitheater von El Jem ist ein Zweitprodukt des Olivenbaums) zu so viel Wohlstand verhalfen - in den Mosaiken werden sie nur bescheiden angedeutet. Ihre verdrehten Stämme und ihr silbernes Blattwerk sind in allen Jagdszenen und Darstellungen der vier Jahreszeiten zu finden, aber nichts über die Anpflanzung - alle 22.20 nach kartagenischer Vorschrift - und nichts über die Pflege, nichts über die Anweisungen des Agronomen Colunelle. Nur ein Mosaik in Utica zeigt einen Olivenpflücker, und es gibt einige Skizzen von Pressen.
Bei den Obstbäumen gibt es nur sehr wenig Auswahl, nur drei oder vier Arten werden dargestellt. Selbst die Dattelpalme erscheint nur sehr selten, während sie vor der römischen Eroberung auf Münzen und Stelen zu finden war. Blumen, Früchte und Gemüse treten dagegen im Überfluss und auf sehr realistische Weise auf. So können wir sehen, dass im 3. Jh. dieselben Äpfel, Birnen, Feigen und Granatäpfel (die von den Römern "punische Apfel" genannt wurden) geerntet wurden wie heute, dieselben Quitten und Mandeln, aber keine Pfirsiche oder Aprikosen, keine Zitronen oder Orangen, die erst sechs Jahrhunderte später aus dem Orient kommen sollten. Aber auch die Kürbisse waren dieselben sowie die spitzen Artischocken mit den violettrandigen Blättern.
Von den Arbeitern ist auf den Mosaiken wenig zu sehen, im Vordergrund stehen natürlich die Herren. Der Gutsherr, der in weisser Tunika und rotem Mantel auf einem dicken Apfelschimmel aus der Stadt heimkehrt, daneben zu Fuss ein Diener mit weissen Gamaschen, einen Korb über der Schulter ; oder bei schönem Wetter auf einem Schemel sitzend und würdig ländliche Geschenke in Empfang nehmend: ein Diener überreicht ihm Enten, ein anderer bringt eine Kiepe mit Früchten und hält einen Hasen in der Hand. Und die Dame des Hauses nimmt die ersten Erträge vom Bauernhof entgegen. Beide symbolisieren die Jahreszeiten, die das Paar so reichlich segnen. Im Frühling sieht man die Dame, in einem durchsichtigen Kleid, an eine Säule gelehnt, in einem Kästchen Schmuck auswählend. Im Sommer sitzt sie auf einer Bank im Schatten der Zypressen und lässt sich Früchte und eine Schaf bringen, unter der Bank picken Küken.
Trotzdem fehlen die Bauern, ausgenommen die Sklaven, die die Körbe trugen, nicht ganz auf den Mosaiken. Hühner und Enten, Hunde und Pferde werden von Männern versorgt, Ziegen und Schafe haben ihre Hüter. Neben einem runden Wassertrog, der von einem Brunnen gespeist wird, macht sich ein Mauleseltreiber auf den Weg in die Stadt, wie ein Mosaik aus Oudna zeigt, auf dem auch neben dem Stall ein Zelt zu sehen ist, in dem wahrscheinlich Nomaden aus dem Süden untergebracht sind, die für einige Monate in den Dienst traten, wie sie es noch heute tun. Bei Julius ist ein Schafscherer, bei den Laberii ein Arbeiter in dickem Burnus, überall Olivenpflücker und einige Weinleser und Schäfer mit Spinnrocken. Diese Bilder sind Verläufer der friedlichen ländlichen Szenen, wie sie später in Europa fünfzehn Jahrhunderte lang in der Litteratur und Malerei sehr beliebt waren. Die Behausungen werden auf den Mosaiken unverstellt gezeigt : die Erdhütten, die schiefen Strohhütten, in echtem Kontrast zu den Schlössern und Villen. Hier wird bestätigt, was die Geschichte uns lehrt : die Ländereien Afrikas wurden in guten wie in schlechten Zeiten von einfachen Ansiedlern bestellt, von kleinen Grundbesitzern, einer Menge Sklaven und Arbeiter, kurzum, von Leuten, die keine Mosaiken anfertigen liessen. Die Geschichte berichtet auch von Aufständen und Streitigkeiten aus politischen, religiösen und wirtschaftlichen Gründen. Auch wenn die Mosaiken nicht direkt darüber Auskunft geben, so tun sie es doch unterschwellig, denn kein Kunstwerk kann umhin, sowohl für als auch gegen die Gesellschaft, die es hervorbringt, Zeugnis abzulegen.
Man muss jedoch diese Aussagen auf ihre

Richtigkeit hin prüfen. Das ist risikolos, wenn es sich z.B. um Weizen oder Öl handelt. Wie aber ist es beim Wein, der anderen Ertragsquelle des Landes ? Es wäre sicher absurd, in den Mosaiken oder den Skulpturen oder den Bildsäulen aus gebrannter Erde nach Angaben über die Ausweitung des Weinanbaus in den Gebieten von Karthago zu suchen, oder über Krisen oder schlechte Geschäfte, über Weinkriege zwischen Italien und der afrikanischen Küste, über die Art und Weise, Arbeiter einzustellen oder über die Rentabilität oder die Qualität des Produkts. Dagegen - und das ist wichtig - legen diese Kunstwerke Zeugnis von der sozialen und psychologischen Bedeutung dieses Anbaus ab.

Die Karthagener oder genauer gesagt die Phönizier bauten den Wein von biblischem Ruf, der schon an den Hängen des Libanon gedieh, mit Erfolg im Cap Bon und in der Gegend von Utica an. Die römische Eroberung schien zunächst ein fataler Schlag für diesen Weinbau zu sein, denn die italienischen Hersteller fürchteten die Konkurrenz. Zwei Jahrhunderte später jedoch hatte sich der afrikanische Wein einen guten Platz in der Wirtschaft der Provinz gesichert, und das mit oder ohne Ausfuhr. Und die Weinberge veränderten die Landschaft. Etwa im Jahre 120 n. Chr. legte ein Erlass der Prokuratoren Hadriens die Urbarmachung nutzlosen Landes fest (Trockenlegung von Sümpfen, Düngen an den Hängen) und die Anlage neuer Weinberge, in der Gegend von Thugga (Dougga), die heute ausschliesslich dem Getreide-und Olivenanbau und der Viehzucht vorbehalten ist.

Mehrere nordafrikanische Mosaiken sind mit gradlinig angelegten, regelmässig beschnittenen Weinstöcken, im richtigen Abstand, verziert, in Tunesien vor allem die von Utica und Thabraka (Tabarka). Grösse und Anbauart sind sehr unterschiedlich. Manchmal sind die Weinstöcke Zweitkultur, z. B. in Olivenhainen, wie es heute noch bei Familienbetrieben zu finden ist. Man sieht sie sogar an Bäumen hochranken, und die Trauben verschlingen sich dabei mit den Tannenzapfen. Aber auf den Feldern mit hunderten von Hektaren, wie es sie schon in der Gegend von Kelibia und Oudna und in dem heutigen Mornag und Thibar gab, wurden zweifellos die Weinberge streng von den Obstgärten getrennt. Was die Pflege dieses anspruchsvollen Anbaus betrifft, so geben die alten Agronomen genaue, noch heute gültige Anweisuagen über die Arbeitsvorgänge vom Winter bis zum folgenden Herbst : Pflügen, Jäten, Hacken, Beschneiden, Ablauben. Kommt dann die Weinlese im September, so scheint es, dass die Mosaikkünstler weder die unzähligen gebückten Rücken, noch das schwere, eintönige Schleppen der Hippen und Körbe oder das Ziehen der Karren gesehen haben. Sie träumen und versymbolisieren indessen. Auf den Mosaiken werden nur riesige Trauben dargestellt. "Afrikanische Trauben, so dick wie Kinder" wie Plinus der Ältere sagt, der hinzufügt : "Es gibt Trauben, die den ganzen Winter über hängend aufbewahrt werden ; andere werden in Töpfen gelagert, die in grosse Krüge voller durchsickerndem Weintrester gestellt werden. Andere verdanken ihren Geschmack dem Schmiederauch, mit dem der Wein auch aromatisiert wird ; Tiberius brachte diese Weine sehr in Mode..." Ein beliebtes Mosaikmotiv sind Drosseln und pausbäckige Kupidos im dichten Weinlaub, wie auf einem der schönsten Mosaiken der Laberii in Uthina oder auf einem Säulenschaft, der bei Thuburbo Majus gefunden wurde. Auf manchen Mosaiken symbolisiert Dionysos, allein dargestellt, die Weinlese in Form einer Person, die zur Hälfte mit einem Pantherfell bekleidet ist und an deren Schläfen Wein und Laub ranken.

Die Allegorie der fröhlichen Weinlese im September wird durch eine seltsamerweise getreuere Darstellung des Auskelterns und Pressens des Weines ergänzt. Ein Mosaik aus El Jem zeigt, ohne Engel und Girlanden, ein richtiges, übervolles Weinfass und einen echten Krug, in den der süsse Wein läuft, und zwei braungebrannte Arbeiter beim Keltern, die sich vorschriftsmässig an Seilen, die unter einer waagerechten Stange entlangführen, festhalten. Der Vorgang ist seitdem mechanisiert worden ; die Arbeit der Weingärtner ähnelt nicht mehr einem Tanz, der Wein wird nicht mehr "körpernah" und aus einem Haufen fermentierender Trauben gewonnen. Das Lyrische an der Weingewinnung, wie es auf den afrikanischen Mosaiken sowie auf den französischen oder burgundischen Miniaturen der "Très Riches Heures" dargestellt wird, ist ganz allgemein durch den fehlenden körperlichen Kontakt verschwunden. Kein Weingärtner bis zum Beginn des 20. Jh. wäre jedenfalls über die Geräte erstaunt gewesen, die Archeologen in Tunesien gefunden haben. Durch Filtern am Fusse der Pressen floss der Wein stufenweise in Becken und gelangte, nach und nach abgegossen, in die "dolia", diese gewaltigen, mit Pech überzogenen Weinkrüge, die oft auf Mosaiken dargestellt werden. Hier lagerte der Wein eine Zeitlang, bevor er in spitze Krüge umgefüllt wurde, die in Kellern in Sand eingegraben wurden und dann nach dem Willen der Götter alterten. (Die Gallier hatten Kastaniendauben als Fässer erfunden, was aber zu keiner technologischen Veränderung bei den Töpfern des Sahel, des Cap Bon und aus

der Gegend von Kairouan (El Aouja) und Tunis (Er-Riana) führte, die noch im 7. Jh. Weinkrüge in allen Formen und Grössen zu den verschiedensten Lagerungszwecken nach Spanien und Italien ausführten).
Nette Bilder mit Weinstöcken und Trauben, Veranschaulichung des Weinaubaus - sollte sich die Aussage der Mosaiken in Bezug auf den Wein auf diese Banalitäten beschränken ? Sicher nicht. Sicher wollten die Künstler mehr ausdrücken. Ihre Darstellungen, ob dekorativ, versponnen oder realistisch, weisen auf fesselndere Realitäten hin, als es auf den ersten Blick scheinen mag. Wenn wir von fesselnd oder begeisternd sprechen, so gilt das für die Zeit, als die Mosaiken noch frisch und neu waren und ihre Bedeutung eindeutig war.
Wie wir wissen, war der Wein stets Gegenstand düsterer Streitgespräche zwischen denen, die Abstinenz predigten und solchen, die ihn als Medizin betrachteten. Im 2. Jh. z. B. schreibt Apuleus von Madauros, der berühmte nordafrikanische Schriftsteller, in der "Floraida", dass "ein berühmter Ascopiades, ein Prinz der Medizin nach Hippokrates, als erster den Wein als Heilmittel betrachtete, natürlich nur bei gegebenem Anlass..." Es stimmt auch, dass es zu allen Zeiten haltlose Weinorgien gab, und es ist nicht auszuschliessen, dass sie als solche auf einigen Werken und Mosaiken dargestellt werden, die zugeben, dass der Wein auch ausserordentliche Tugenden hat und dass der Sinn sich für einen Moment am Boden des Glases, wo sich die Wahrheit verbirgt, verschleiert.
Möglicherweise sind die kleinen Figuren hellenistischen Ursprungs, die in den ersten Jahrhunderten sehr beliebt waren, nur Ausdruck eines derben Spasses : diese alten Frauen, die mit gespreizten Beinen in einem Sessel lümmeln und verliebt einen Krug umarmen.
Dabei ist die ausschweifende Trunkenheit keineswegs typisch für den Mittelmeerraum und bekanntlich ganz allgemein in Weinländern selten. Wer selbst Wein herstellt, trinkt ihn mit Andacht, das heisst in Massen, ausgenommen bei grossen Hochzeitsfesten. Bei Skulpturen wie Herakles von Thibar oder sogenannten Trinkerei-Mosaiken von Dougga und El Jem handelt es sich, zumindest in der ersten Zeit, einfach um den lauten, fast brutalen Ausdruck grosser Lebensfreude. Der völlig betrunkene Herkules in Thibar ist zunächst nur das Bild oder das Symbol für die Anerkennung der überwältigenden biologischen Gesetze. Das 1954 in El Jem nahe dem Amphitheater gefundene Mosaik zeigt zwei Frauen und drei Männer, die dem Mundschenk ihren Kelch reichen und unersättlich sind. Eine Freske aus Hadrumet stellt eine Kabarettszene dar, die ein flüchtiger Beobachter als einen Auschnitt aus dem Alltagsleben bezeichnen würde.
Wenn man sich nicht einer verächtlichen Vereinfachung hingeben will, kann man dem Künstler solche Anekdoten nicht abnehmen, wenn sie keine tiefere Bedeutung enthielten. Herkules trinkt und isst, in Begleitung eines Kindes, das auch schon betrunken ist und in der einen Hand einen Kelch in Form eines mit einem Pantherkopf verzierten Hornes hält und in der anderen einen Thyrsus - einen Stab mit einem Efeublatt an der Spitze. Die Wahl dieser Motive ist nicht zufällig, sie sind auf Bacchus bezogen.
Das Kabarett, das voller fröhlicher Burschen zu sein scheint, ist in Wirklichkeit eine Grabmalerei, und als solche sieht man darin vor allem einen einsamen Kunden, der sein Glas erhebt, vielleicht auf das Wohl eines unsichtbaren Kameraden ; leere Becher liegen auf dem Tisch herum ; vor einem Bord mit bläulichen Kelchen beugt sich im Halbdunkel ein Mann, um ein letztes Glas zu füllen, man weiss nicht, für wen und welche Rolle er spielt, dieser Schenkwirt der Toten. Die fünf Tischgenossen des Thysdrus konnten sich, so seltsam wie sie gekleidet waren, kaum als reiche Beamte oer Grundbesitzer ausgeben. Nicht um einen frohen Familienabend zu schildern, stellt uns der Künstler diese Personen vor, mit dem Zepter mit Halbmond, dem Efeublatt, dem Schilfrohr und der Krone. Auch soll sicher nicht der Reichtum eines Viehmästers (der kaum in der Ebene von El Jem zu finden wäre) gefeiert werden, der unten auf dem Mosaik neben fünf buckeligen Stieren liegt. Symbole und Sinn dieser Darstellungen, die sicher auf ein Jenseits hindeuten, wollen wir versuchen, auf einem Umweg zu erforschen. Wenden wir uns zunächst anderen Beispielen, anderen doppeldeutigen Motiven zu, die uns auf den Weg vom Alltäglichen und Malerischen zum Wunderbaren oder sogar Heiligen führen. Die Mosaiken mit Meer - und Fischfangmotiven und Schiffen, von denen es sehr viele in Tunesien gibt, zeigen natürlich ein vertrautes Milieu und reale Tätigkeiten. Vier Jahrhunderte lang wurden diese Themen behandelt, nicht nur in den Werkstätten von Hadrumetum und Karthago, in den grossen Häfen also, sonders auch in den Städten im Landesinnern. Denn ebenso wie die Schiffseigner oder die Fischhändler waren auch die Gutsbesitzer von Meeresmosaiken umgeben. Das Meer spricht alle an, und die Fussböden oder Wände von Schwimmbädern, Becken, Impluvium und Badewannen zeigen, ihrer Bestimmung entsprechend, Bilder von dem weiten Meer und seinen Wesen sowie von den Ufern und ihren "kleinen" Ansiedlern.
So sehen wir geduldige Angler, einen

Mann mit Fangnetz oder Fischer in bunten Barken, die das Netz auswerfen oder mit der Harpune vorgehen, während andere, nackt wie Götter, an dem stets einträglichen Fischfang teilhaben, indem sie im Fischschlamm herumpatschen. Zwei Mosaiken aus Dougga schildern diese friedlichen Abenteuer in fischreichen Gewässern, einige Schwimmzüge vom Strand und von den Felsen entfernt. Ein Mann schiebt sein Boot ins Wasser und steigt ein, ein anderer bessert sein Netz aus, ein dritter hat die Angel ausgelegt und ein Goldbrassen hat angebissen, und ein vierter spiesst einen beachtlichen Tintenfisch auf. Auf einem Mosaik aus Karthago sind in den vier Ecken vier Angler zu sehen, die wie tunesische Angler noch heute mt einem angewinkelten und einem ausgestreckten Bein dasitzen ; zwischen ihnen Fische und Weichtiere. In Sousse sind zwei nackte, blonde Jungen auf hoher See ; der eine hält die Ruder, der andere steht am Bug und hält die Harpune bereit. In einer Barke daneben werden die Reusen eingezogen, in denen sich Rötlinge, Kohlfische und eine prächtige Languste befinden, die wie ein Schiff mit beigesetzten Segeln aussieht. Neben diesen zahlreichen realistischen Mosaiken gibt es andere, die der Phantasie nicht so enge Grenzen setzen. In der Mitte eines Mosaiks aus El Ali ist ein Schleppnetz auf einem See ausgeworfen, und darum herum ist ein Küstenstreifen mit verschiedenartigen, hübschen Konstruktionen zu sehen : Türme, mehrstöckige Pavillonss mit Fenstern - teils mit Scheiben, teils ohne - verbunden durch Säulengänge, Villen inmitten von Bäumen, Hütten, Staatuen, Kapellen und umzäunte Gärten ; in dieser Landschaft bewegt sich ein emsiges Völkchen : ein Bauer treibt seinen Esel an, ein Reiter schläft am Ufer neben seinem Pferd, das an einem Baum festgemacht ist, Handwerker sind tätig, Spaziergänger picknicken im Gras. Hier scheint sich der Maler von seinem Thema entfernt zu haben, aber nur scheinbar, denn auch in diesem friedlichen See ist der Fischfang das Wichtigste.

Solange die Gewässer voller Fische, Schaltiere und Weichtiere sind, sind alle Spiele erlaubt. Fischende Kinder können sich unbesorgt um einen Kahn ohne Ruder bewegen, in dem sich eine prunkvolle Person mit einer Fackel in der Hand in Begleitung einer Tänzerin treiben lässt. Und überall sind dicke, kleine Kupidos : in den Wellen, zwischen den Booten, am Strand und im tiefen Wasser, wo sie ebenso zu Hause sind wie im Weinlaub. Sie schwimmen, sie fischen, sie rudern, ziehen riesige Netze ein und fangen Fische, die grösser als sie selbst sind ; flügelschlagend wiegen sie sich im Wind, der ihre Tunika hochweht. Auf Delphinen reiten sie je zu viert um die Wette, und ihre Gürtel sind natürlich in den Farben der vier Zirkusmannschaften. Die Phantasie des Künstlers und seine Ironie bleiben gediegen und wohlwollend : die Meerkupidos sind die Diener der Venus, die ganz oben in einer Muschel thront und lächelnd ihr bewundernswürdiges Treiben betrachtet. Auch andere Götter umgeben sich gern mit diesen Gnomen mit gelocktem Haar, diesen ewigen Kindern, die Ausdruck von Vitalität und Unschuld sind. Als Dionysos auf einer Galeere erscheint, um die tyrrhenischen Piraten zu strafen, die ihn gefangengenommen hatten (die entsetzt beim Anblick ihres Schiffes, das sich in einen Garten verwandelt, ins Meer springen und sich zu Delphinen verwandeln), schaukeln die Kupidos auf einem fast ebenso prächtigen Schiff dahin. Die Tragödie, die sich neben ihnen abspielt, scheint ihnen gleichgültig zu sein, sie sind eifrig am Fischen, was den Künstler dazu verleitet, eine grosse Menge von Fischen zu zeichnen.

Es dürfte jetzt klar sein, dass diese vielen Fische absurd wären, wenn sie nur aus ästhetischen Gründen da wären, nur verschiedene Fischformen und den Glanz der Kiemen und Schuppen zeigen wollten, was sich bei dem vielfarbigen Mosaik besonders anbietet ; in diesem Fall wären Vögel, Pflanzen und Insekten mindestens ebenso zahlreich. Wenn man aber sieht, dass ein einzelner Fisch oft das Motiv eines ganzen Mosaiks oder Wandbildes ist, mit dem der Hauseingang oder die Tür eines Schlafzimmers verziert und beschützt wird und dass er, mit oder ohne Muscheln, auf ganz natürliche Weise zu einem Phallus wird, erinnert man sich an die Rolle, die die Meerestiere in allen Traditionen, besonders in denen der Mittelmeervölker, spielen, ganz gleich ob es indo-europäische oder semitische Völker sind. Das Wasser ist für die Menschen am Meer ebenso wie für die in dürren Landstrichen das wertvollste der vier Elemente ; der Fisch ist "par excellence" das Symbol des Lebens und der Fruchtbarkeit. Er ist stumm und unnahbar und kann weder in anderen Elemenen noch mit dem Menschen, der ihn verspeist, leben ; er spukt in den Tiefen des Meeres herum, aus denen alles Leben entsteht und sich regeneriert. Die Karthager hatten dieses Symbol aus den Religionen Syriens entliehen, wo es den Göttinnen der Liebe zugesprochen war. Noch jetzt hat der Fisch diesen Symbolwert : Als silbernes Amulett oder auf Stickereien, auf Töpfereien oder Uhren ist er besonders bei Vermählungen anzutreffen und bei allen Gelegenheiten wirksam gegen den bösen Blick und böse Geister. Leben, Glück und Fruchtbarkeit breiten sich in vollem Licht vor uns aus, in Form dieser lebendigen "Meeresfrüchte". Die gleiche Aussage machen, auf

verfeinerte Weise, die Delphine : Als Diener des Apollo und Freunde der Menschen sprachen sie vom Wohl der Seele, vom Heil und, so sagt man, von Verklärung.
Auf diesem Umweg können wir nun zum Weinbau, zum Wein und zu den Trinkern zurückkehren. Der Wohlstand und die Gesundheit, die sie symbolisieren, beziehen sich sicher nicht nur auf die Finanzen in der Provinz oder auf die vollen Bäuche. Der Weinstock war stets eine besondere Pflanze. Für die Völker Kleinasiens und für die Phönizier, die ihn nach Afrika brachten, war er ein gleichsam göttlicher "Baum". In den poetischen Büchern der Bibel (wo sich unzählige Echos aus Mesopotamien und dem Morgenland daruntermischen) bedeutet der Wein Wohlstand und Vertrauen auf die Zukunft. "Eine gute Ehefrau ist für den Mann ein fruchtbarer Weinstock" heisst es in Psalm 128. Die Griechen und die Römer schrieben den Weinanbau einem Gott zu, der ebenso jung ist - alles ist relativ - wie der Weinbau in Europa : Dionysos, dessen Kult sich in der Antike immer mehr verbreitete bis zum Auftreten anderer Mythen und ägyptischer und orientalischer Religionen. Wein wurde sehr oft mit Blut in Verbindung gebracht, weniger aufgrund seiner Farbe als wegen des Pfanzenextrakts, der immer als Lebenstrank betrachtet wurde, der Freude und sogar Unsterblichkeit bringt. Diese Eigenschaften, die ihm bei den Semiten ebenso wie bei den hellenistischen Anhängern des Dionysos eindeutig zugeschrieben wurden, scheinen notwending und fast unerlässlich, wenn man betrachtet, wie sie in die mystische Symbolik des Christentums und des sufischen Islam übertragen wurden. Es ist undenkbar, dass sie nicht auch bei den Darstellungen von Weinlese und Trinkfesten im Geist der Künstler gegenwärtig waren.
Ausdrücklich oder unbewusst oder automatisch beziehen sich diese Szenen immer auf den Kult des Dionysos (Bacchus). Dieser "zweimal geborene", göttliche Jüngling, Sohn des Zeus und einer Muttergöttin asiatischer Abstammung, ist der Herr des Weines und der Wiederkehr der Jahreszeiten, des Prinzips der Fortpflanzung in der Tierwelt. Im Hinblick auf die geheimen oder öffentlichen Weinfeste und Orgien kann man ihn zu einem Gott der Durchbrechung der Verbote, einem Gott der Ausgelassenheit und der Überfülle machen. So würde ihn Nietzsche sehen, der ihn der heiteren Weisheit des Apollo gegenüberstellt. Für seine Anhänger in Griechenland, Italien und in Afrika ist er auch ein Befreier von der Macht der Hölle, ein Führer der Seelen. Als er früher bei den alten Zeremonien in Eleusis nach Hades hinabstieg, sei es, um seine Mutter zu suchen oder um den Wechsel der Jahreszeiten darzustellen, verkörperte er eins der gewaltigsten Themen der Kunst und des Denkens : Tod und Auferstehung. Diese Gedanken und vor allem die Mythen und Legenden, durch die sie übertragen wurden, waren in der Antike stark verbreitet und fest ins Gedächtnis eingeprägt ; sie gehörten so zur "Kultur", dass man kaum vermuten kann, dass die Leute, die ein Bild oder ein Mosaik mit einem Bacchusmotiv bestellten, Eingeweihte oder Anhänger des Kultes waren. Solch eine Wahl ist eher der Mode, den Sitten oder dem Zeitgeist zuzuschreiben.
"Trink und du wirst leben" steht als Grundsatz auf den Weinkrügen, die die Mundschenke an die Leute - vielleicht Wagenführer - herumreichen, die auf einem grossen Mosaik in Dougga dargestellt sind. Dieser fromme Spruch wird durch auf die Krüge gemalte Efeublätter noch mehr hervorgehoben. Der Efeu, das Sinnbild ewigen Wachstums und beharrlichen Verlangens, tritt immer in Verbindung mit Dionysos auf und soll wie die Weinreben dazu dienen, die Frauen, die sich seinem Kult widersetzen, in einen Zustand des Deliriums zu versetzen.
Dieser Efeu ist auch auf dem Mosaik aus El Jem mit den fünf verkleideten Gästen zu sehen, und die anderen dargestellten Sinnbilder sind nicht minder reich and Bedeutung und Anspielungen. Dieser grüne Zweig ist für alle Völker Sinnbild des Sieges und des Aufstiegs. Das Schilfrohr - das spechende Rohr in der Legende von Midas, das Flötenrohr der Derwische - ist eine weinende oder singende Stimme, die nach Ansprache sucht und zur Vereinigung aufruft. Die Krone erhält ihren prophylaktischen Wert durch das Material, aus dem sie gewebt oder hergestellt ist : Blumen, Blattwerk, Metalle oder wertvolle Steine, und durch die runde Form, ähnlich der Form des Himmels.
Als Zeichen der Weihe vergöttlicht sie den, der sie trägt, oder bezeugt zumindest seinen Gemütszustand. Plutark schrieb : "Der in die Gemeinschaft Aufgenommene, der frei geworden ist und sich ohne Zwang bewegt, zelebriert die Mysterien mit einer Krone auf dem Kopf". In ihrem strahlenden Glanz, mit dem sie auf den Mosaiken leuchtet, ist die Krone Ausdruck des höchsten Grades geistiger Entwicklung. Was den Halbmond betrifft, der immer wieder bei Frauenschmuck auftritt, so kann man ihn wohl nicht anders interpretieren als es die Antike tat, die darin das Symbol für regelmässige Wiederkehr und Verwandlung sah und folglich für Erneuerung und Wachstum.
Die Assoziation von Dionysos und diesem

nächtlichen Gestirn kann wohl nur in Bezug auf die heilige Weihfeier gesehen worden. Dazu noch einmal Plutark : "Der Mond ist der Ort für die guten Menschen nach dem Tod. Sie führen dort ein Leben, das weder göttlich noch gesegnet ist, aber frei von Sorgen, bis zu ihrem zweiten Tod...". Klar dagegen ist die Bedeutung der fünf Stiere, die unten auf einem Mosaik dargestellt sind, wo ein Spruch eingraviert ist, der ihnen Schlaf wünscht. Diese Wiederkäuer, die selbst im Ruhestand Macht und Aufwallung versinnbildlichen, sind gleichzeitig Poseidon, dem Gott der Stürme, und Dionysos, dem Gott der Männlichkeit, geweiht. Und dieselbe Macht verkörpert in einer Skulptur des betrunkenen Dionysos der Rhyton, ein Horn oder ein Trinkgefäss in Form eines Hornes.

Beim Anblick solcher Werke sollte man nicht "Realismus" als Kriterium für die Wahrhaftigkeit der Künstler geltend machen, und es wäre vergeblich, sich zu fragen, ob es ihnen gelungen ist, die Natur, die Menschen und die Ereignisse darzustellen. Sie waren ebenso realistisch wie ihre geschickten Kollegen in Pempeji und Herculanum ; die Pflanzen, Tiere, Gebäude und Menschen sind zweifellos so echt wie möglich dargestellt. Aber dieser Realismus war nur für sie als gute Handwerker von Bedeutung, wahrscheinlich merkten sie es gar nicht, wenn z.B. die Perspektive falsch war oder es ihnen nicht gelang, die Schnauze des Löwen zu zeichnen (was übrigens bis zur Renaissance niemandem gelang). Auch ging es ihnen nicht darum, eine genaue Chronik der Freuden und Leiden ihrer Zeitgenossen zu geben, sondern mit Hilfe neuer Materialien frühere Themen darzustellen, die sie für ewig gültig hielten. Die Szenen und Personen, die wir immer wieder aufzählen und beschreiben, sollen diese Themen darstellen, sie versinnbildlichen oder einfach Verzierungen sein, aus Freude an der Aussschmückung.

Wäre es unrecht, dabei nach Bildern aus dem täglicheen Leben des antiken Tunesien zu suchen ? Sicher nicht. Aber diese Bilder sind nicht Selbstzweck, und wenn die Künstler so viele Sketche, Landschaften und Porträts zu unserer Freude dargeboten haben, so nur, weil sie nicht anders konnten. Kein Maler und kein Schriftsteller kann Kleidung, Bauwerke, Werkzeuge, Waffen, Gesten erfinden. Er richtet sich nach dem, was er vor Augen hat oder durch seine Vorfahren aus vergangenen Zeiten kennt. Selbst wenn es zum Phantastischen oder Unglaublichen neigt, kann er nur aus den Gegebenheiten seiner Epoche schöpfen. Er ist im allgemeinen unfähig, darüber hinauszugehen. Auch wenn er die gegebenen Formen vermischt oder verändert, sie haben schon vor seiner Schöpfung existiert. Vielleicht unwillentlich macht er sich zum Sprecher der Arbeitswelt, der politischen Kontakte und einer Welt im Wandel. Die Fresken, die die indischen, chinesischen und singhalesischen Mönche den vorherigen Leben des Buddha gewidmet haben, sollten weder Kleidung noch Sitten zeigen. Und doch tun sie es, ebenso wie die frömmste christliche Malerei gegen Ende des Mittelalters, die, ohne es zu wissen, den Historikern Auskunft über Möbel, Stoffe, Dekorationen und Musikinstrumente dieser Zeit gibt.

So kopierten die afrikanischen Mosaikkünstler genial Modelle, sei es aus der Natur, so wie sie sie sahen - denn die wirkliche Natur kann man nie sehen - oder aus der Vorstellung. Wenn sie z. B. Kornähren abbildeten, so war das auch und vor allem das Bildnis des Ceres ; bei Weinstöcken und Weinpressen stand im Mittelpunkt das Bildnis des Dionysos. Und das ist nur vertretbar, in einem weder modernen noch profanen Sinne, wenn diesen Pflanzen etwas Göttliches innewohnt.

Auf gleiche Weise verweist uns das Meer auf die Anfänge der Wissenschaft und der Träume, auf die ursprünglichen Metamorphosen. Aber auf den Mosaiken ist das Meer auch das Reich der Götter, die diese Geburten und Metamorphosen bestimmen. Die Mythologie hat hier freien Lauf. Einige der berühmtesten Bodenmosaiken Tunesiens, die von la Chebba, Sousse, Utica und El Jem, sind Hymnen auf den Gott Ozean, der bei den Puniers Yam war, bei den Griechen Poseidon und bei den Lateinern Neptun. Er wird entweder stehend, in einen Regenbogen gehüllt, dargestellt, wie er ein Gespann von Phantasie-Seepferden lenkt, oder nackt, von einem Heiligenschein umgeben, wie er seinen unbeweglichen Dreizack über die Wellen schwingt, dieser unruhige Bruder des Zeus, fast ebenso funkelnd wie der Herr der Götter selbst, aber oft ebenso düster wie Hades, der dritte Bruder, der immer majestätisch auftritt. Seine Gesten und sein Gehabe sind immer die eines Herrschers. Diese Sicht der afrikanischen Mosaikkünstler eines mächtigen, aber sanften Neptun ist erstaunlich : Sie entspricht nicht der der Dichter seit Homer und den ältesten Mythologen. Diese sprechen von einem schrecklichen Gott, einem Gott der Stürme, Symbol der gewalttätigen Oberherrschaft. Aus seinen zahlreichen Liebschaften mit Göttinnen und irdischen Wesen gehen nur Banditen und Monstren hervor, mit Ausnahme dieses geheimnisvollen Mädchens, das er von Demeter hatte und von dem, laut Pausanios "nur die Eingeweihten den Namen wissen dürfen"

Er ist der Gott des Gebrülls, der Ausartung und sogar der Erdbeben, denn die Kontinente ruhen auf dem Ozean ; und der Gott der Meerestiefen, wo das Leben auf noch chaotische Weise entspringt. Er ist der Herr der elementaren Kräfte...
Dieses Bild von Poseidon hätten die Lehrlinge von Hadrumet eigentlich von den Griechen übernehmen müssen. Aber der lateinische Neptun, der zwar auch mit den gefürchteten Kräften der Meerestiefen ausgestattet ist, ist ruhiger und vertrauter. Er herrscht nicht nur über das grenzenlose Meer, sondern auch über Seen, Quellen und sogar Bäche und Gärten. Aber es ist nicht dieser Gott der Bewässerung, den die Mosaikkünstler gewählt zu haben scheinen. Ihr Neptun, ihr "Ozean", bedroht niemanden mit seinem Dreizack, der im Grunde nur ein altes Fischfanggerät ist. Er donnert nicht und verzerrt nicht das Gesicht. Er kümmert sich nicht um Schleusen und Kanäle. Er herrscht friedlich über die aufbrausenden und die sanften Wellen, über das bunte Volk der Tiere und Wesen, die diese Wellen ständig erzeugen und unter die er sich gern mischt.
So ist man schliesslich geneigt zu glauben, dass er von dem alten "Ozean" der Phönizier dieses imposant und gleichzeitig friedlich Majestätische, diese väterliche Ruhe hat. Unter dem hellenistischen Flitterwerk, wo er die Rolle spielt, die ihm die Mythologie und die traditionellen Maler zuschreiben, steht Yam und segnet auf humorvolle Art ein unwandelbares Afrika, dessen Sprache sich verändert hat, nicht aber dessen Seele. Er verziert Wasserbecken in den Gärten, Apsiden und Öffentlichen Bädern. Er ist ein mächtiger, alter Mann, energiegeladener als ein begeisterter Dionysos oder ein unentschlossener Herkules. Er steht in und ausserhalb dieser Welt. Über die kindischen Abenteuer der Menschen und der Götter lächelt er in seinen Bart aus Algen ; Zeitalter und Herrschaften ziehen vorbei auf den Mäandern seines gewaltigen Haarschopfes, aus dem Fühler und Scheren von Hummern spriessen. Er befiehlt und besänftigt. Die schrecklichen Gewässer können auch wohltätig sein.
Doch der afrikanische Neptun ist selten allein. Er lässt sich von seltsamen Wesen begleiten, die die Mosaikkünstler so begierig von den griechischen Malern und denen des Orients übernommen hatten, dass sie sie zweifellos aus dem silbernen Nebel, der manchmal Jerba oder oft den Bou Kornine umhüllt, aufsteigen sahen. So traten Sirenen auf, diese Vogelfrauen -und nicht Vogelfische wie bei den Nordländern- , die wegen der Schönheit ihres Gesichts und ihrer Gesänge den Schiffer Schiffbruch erleiden lassen. Diesen tödlichen Verführungskräften kann man nur widerstehen, wenn man sich wie Odyseus an die harte Realität des Masten, der Schiffsachse und der Lebensachse, klammert. Da schwimmen auch surrealistische Hybriden, Folge endloser primitiver Alpträume, halb Fisch, halb Pferd, halb Mensch und halb Fisch und all die grotesken Kreaturen des Poseidon und seine unanständigen Enkelinnen, die fünfzig Nereiden. Aber diese tierisch-göttlich-menschliche Welt verursacht nach Aussagen der Mosaiken keinerlei Furcht. Es bedeutet einfach, dass der Mensch zwei Universen angehört, dem tierischen und dem göttlichen und dass die Proportionen von ihm selbst abhängen.
Die beispielhafte oder erträumte Erfüllung der Unsterblichen, wenn diese sich nicht zu sehr in die Streitigkeiten der unter dem Mond Lebenden einmischen, wird auch auf Mosaiken mit viel Geschehen dargestellt, wie auf dem römischen sogenannten "maison de Caton" aus Utica, wo Neptun zusammen mit Amphitrite, seiner Gattin, erscheint. Auf einem der Schiffe, die ihren Himmelswagen begleiten, zieht lässig ausgestreckt Venus verbei, ein Kupido und zwei Vögel bringen ihr Schmuck. Venus - Aphrodite ist hier jedoch nicht als Statist zu betrachten. Viele Mosaiken, in Afrika wie in der ganzen Provinz des Weltreiches, sind ihr gewidmet und preisen sie in den konventionellen Haltungen von Schönheit, Charme und Prunk. Aber mehr als anderswo ist sie in Afrika mit dem Meer und seinen Göttlichkeiten assoziiert. Sie ist die "Anadyomene", die aus den Wellen Geborene und vor allem aus ihren Religionen Asiens Entsprungene : Hinter dem Bild einer unschuldig leichtfertigen Venus sehen die Mosaikkünstler stets Ishtar, die grosse syrische und phönizische Göttin. Die Griechen, die sie sich zu eigen machten, indem sie Zypern zu ihrem Geburtsort machten, hatten ihr nicht besonders bürgerliche Tugenden zugeschrieben. Ihre Aphrodite ersteht aus dem Meer, weil sie die Tochter des Himmelssaamens ist, der über die Meere ausgestreut wurde, nachdem Uranos von seinem Sohn Crones kastriert worden war. Sie ist die Gattin des lahmen Hephaistos-Vulcain, über den sie sich oft lustig macht, und ist Sinnbild erotischer Leidenschaft. "Selbst Zeus verwirrte sie den Sinn" bestätigt eine homerische Hymne, in der beschrieben wird, wie ihr eine Schar Wölfe, Löwen, Bären und Panther folgen, die auf ihren Befehl hin "sich alle gleichzeitig im Schatten der Hügel paaren werden".
Andere Dichter nennen sie "Menschentöterin".
Da zum Glück die alten Mythen nie einfacher als die menschliche Wirklichkeit sind, beschützt sie als Himmelswesen die Städte, als Göttin der Marine lenkt sie die Schiffahrt, als chthonische Göttin wacht sie über die Grabstätten, und als die, die Verlangen verbreitet, kümmert sie sich um

Heirat und Familienleben.
Den Mosaikkünstlern und ihren Kunden war Aphrodite sicher ein gefälliges Thema. Selbst metaphysische Fabeln endeten als Schauspiel und erforderten keine intellektuelle oder religiöse Anstrengung. Hochzeiten, Triumphe, Vergötterungen waren, besonders in Afrika, ein guter Vorwand für prunkvolle Ausstattungen. Orpheus selbst war manchmal ein Vorwand, obwhohl er kein Gott ist und weder über die Wellen noch über die Gestirne herrscht. Als Musiker und Zauberer begnügt er sich nicht damit, die Tiere, Pflanzen und Stürme zu zähmen, sondern erreicht von den Göttern der Unterwelt die Befreiung seiner Eurydike. Aber bekanntlich gelingt es ihm nicht, sie ans Tageslicht zu führen, weil er unterwegs von Zweifeln befallen wird und später, untröstlich, von Frauen zerrissen wird. Doch seltsamerweise waren die Menschen der Antike voller Mitgefühl für diesen unheldenhaften, unglücklichen Künstler, der das Böse zwar einschläfern, aber nicht besiegen kann und der durch seine eigene Schwäche untergeht. Seine zerbrechliche Macht über die unbegreiflichen Kräfte der Erde und des Jenseits faszinierten sie. Sie machten aus ihm den Begründer der Mysterien in Eleusis ; sie folgten ihm bis zu den Toren der Hölle ; sie sahen, dass ein Mensch beinahe den Tod besiegt hätte. Vergötterungen und himmlische Krönungen halfen den Menschen, Wirren und Angst zu besiegen. Aber fragten die Menschen vor fünfzehn oder achtzehn Jahrhunderten angesichts ihrer Mosaiken nach dem Können der Maler und nach dem Sinn der Mythen ? Sie kannten die Mythen und waren mit deren Auslegung vertraut, dachten aber zweifellos nur sehr selten daran. Sie waren sicher sicht mehr und nicht weniger verletzlich als wir, sie hatten gern Darstellungen um sich, die auf wohltuende Art aussagten, dass die Welt in Ordnung ist, dass Freude und Liebe ihren Platz in ihr haben, dass Schönheit etwas Heiliges ist und dass Raum für Hoffnung da ist. Die Mosaiken gewähren uns also ebenso wie in ihre Arbeit und ihre Spiele. Einblick in das Innenleben der Menschen Sie machen uns ihre Träume und ihre vergessenen Götter zum Vermächtnis, Götter, die nicht aus ihrem Reich vertrieben werden können ; sie schlafen in der Sonne, an den unveränderten Ufern und auf den Feldern, die von nun an einem einzigen Gott unterworfen sind, und in den hohlen Steinen, die in jedem Frühling neu unter den Blumen erwachen.

Georges FRADIER

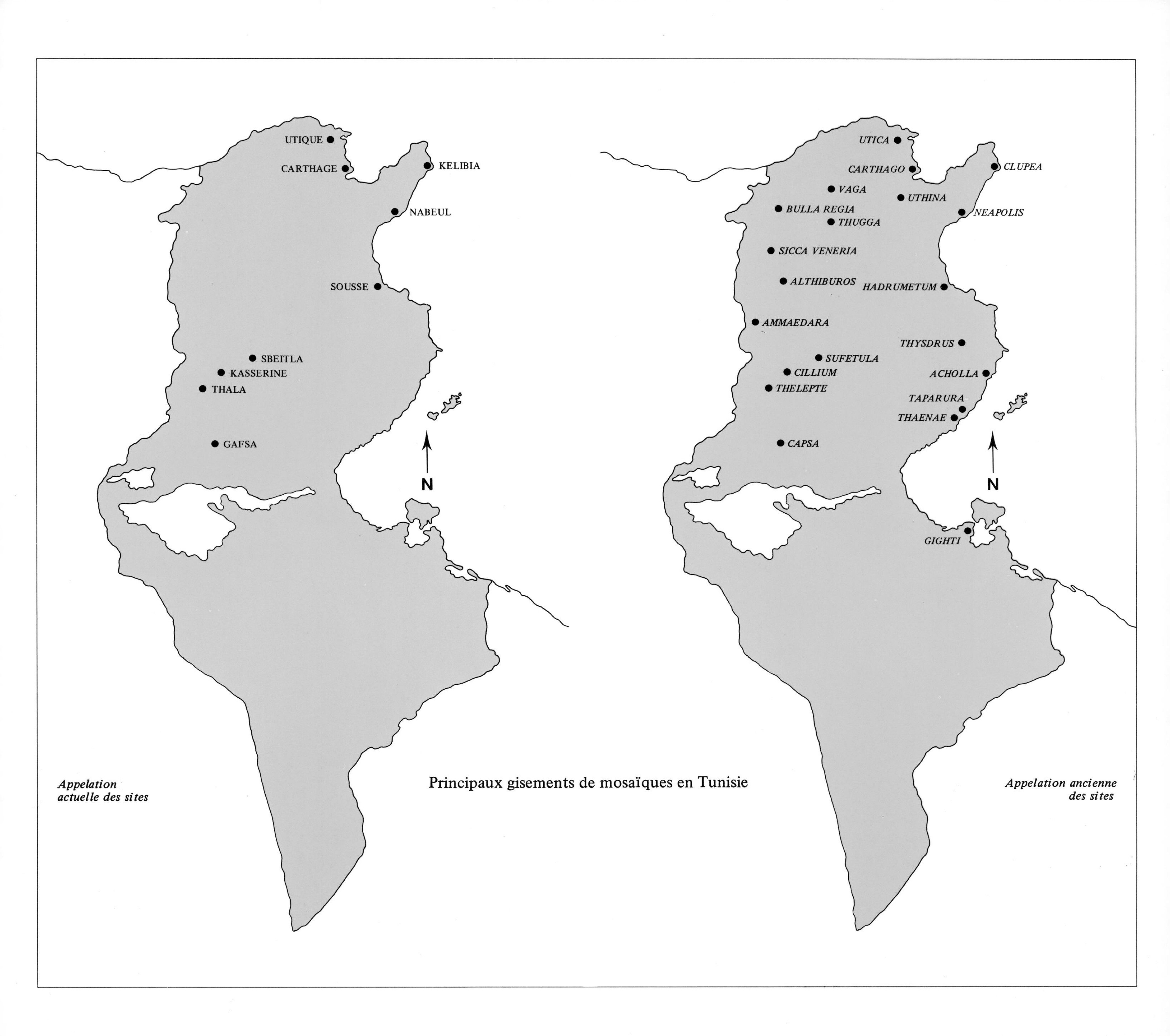

Principaux gisements de mosaïques en Tunisie

LA TOILETTE DE LA DAME
Sidi Ghrib
Musée du Bardo (détail)

LADY ADORNING HERSELF
Sidi Ghrib
Bardo Museum (detail)

I

VIE QUOTIDIENNE
DAILY LIFE
ALLTAGSLEBEN

"... Elle leur donna une grande et riche demeure, au milieu de terres généreuses produisant à profusion blé, orge, vin, huile et toutes sortes de fruits, avec une armée de quatre cents esclaves et des bêtes encore plus nombreuses..."

APULÉE DE MADAURE
Apologie

"... She gave them a large and rich dwelling in the midst of a generous land which supplied a profusion of wheat, barley, wine, oil and all manner of fruits together with a host of four hundred slaves and an even greater number of animals..."

APULEIUS OF MADAUROS
Apologia

"... Sie gab ihnen ein grosses, reiches Wohnhaus, inmitten üppiger Ländereien, die im Überfluss Korn, Gerste, Wein, Öl und die verschiedensten Früchte lieferten, dazu eine Heerschar von vierhundert Sklaven und eine noch grössere Anzahl an Tieren..."

APULEIUS VON MADAUROS
Apologie

CARTHAGE
Domaine
du Seigneur Julius.
(Détail)
Ces deux images ainsi que les suivantes (51 - 52 et 53) appartiennent à un célèbre tableau illustrant les riches heures d'un châtelain dans sa propriété.
Ici et pages 44 - 45, la cueillette des olives et l'offrande des productions de la ferme apportées au maître.
MUSEE DU BARDO
(1921)

CARTHAGE
The Estate of Seigneur Julius (Detail).
These two illustrations, together with those on pages 51 - 52 and 53, belong to a well-known mosaic which illustrates aspects of the daily life of a landowner on his estate.
Here, and on pages 44 - 45 we have the olive harvest and servants offering the produce of the farm to their master.
BARDO MUSEUM
(1921)

KARTHAGO
Besitz des Gutsherrn Julius. (Ausschnitt). Diese beiden Darstellungen, sowie die folgenden (51 - 52 und 53) gehören zu einem berühmten Mosaik, das Szenen aus dem Alltagsleben eines Gutsherrn auf seinem Landgut zeigt. Hier und auf den Seiten 44-45 die Olivenernte und die Übergabe der Landerträge an den Gutsherrn.
BARDO-MUSEUM
(1921)

MOKNINE
En bas à gauche :
Seuil de maison avec des symboles prophylactiques.
L'œil de l'envieux, jeteur de sorts, est attaqué par les serpents et le poisson, gardiens bénéfiques et vigilants de la demeure contre le "mauvais œil".
MUSEE DE SOUSSE (1901)

MOKNINE
Below, left : threshold of a house, decorated with prophylactic symbols. The eye of the envious, the caster of spells, is being attaked by snakes and by a fish - the beneficent and watchful guardians of the house against the "evil eye"
SOUSSE MUSEUM (1901)

MOKNINE
Unten links :
Hauschwelle mit prophylaktischen Symbolen. Das Auge des Neiders, des Behexers, wird von Schlangen und einem Fisch angegriffen, die die wohlwollenden und wachsamen Hüter des Hauses gegen "den bösen Blick" sind.
MUSEUM SOUSSE (1901)

CARTHAGE
A droite :
Détail de la même mosaïque du Seigneur Julius : la demeure du maître. Ce beau château occupe le centre du panneau de la mosaïque autour duquel s'ordonnent en trois registres superposés, les diverses activités du domaine. Il présente un portique surélevé flanqué de deux hautes tours. Derrière, d'autres bâtiments dont un groupe de coupoles appartenant probablement à des thermes. Cette architecture imposante témoigne de la richesse des grands propriétaires.
MUSEE DU BARDO

Right : CARTHAGE
Detail from the same mosaic of Seigneur Julius showing his house. This fine mansion occupies the centre of the mosaic which is divided into three superimposed registers on which the various activities of the estate are illustrated. The house has an upper gallery, flanked by two high towers. Behing it are other buildings, the domed ones probably being the baths. This impressive architecture bears witness to the wealth of the great African landowners.
BARDO MUSEUM

KARTHAGO
Rechts : Ausschnitt aus demselben Mosaik des Gutsherrn Julius :
Das Wohnhaus.
Dieses hübsche Schloss steht im Mittelpunkt des Mosaiks ; um das Haus herum werden in drei übereinanderliegenden Reihen die verschiedenen Tätigkeiten auf dem Gut dargestellt. Das Haus hat ein erhöht liegendes Tor und wird beidseitig von einem hohen Turm begrenzt. Dahinter liegen weitere Gebäude, die mit den Kuppeln sind wahrscheinlich Bäder. Diese eindrucksvolle Architektur ist Zeuge von dem Reichtum der grossen Gutsbesitzer.
BARDO-MUSEUM

TABARKA
Cette mosaïque ainsi que les suivantes appartiennent à un même ensemble décorant trois absides disposées en trèfle trouvées à Tabarka. Toutes représentent les activités de la vie rurale dans cette région durant les siècles de prospérité de la Proconsulaire.
Ici, détail d'une abside.
MUSEE DU BARDO (1890)
3,50 x 5,30

TABARKA
This mosaic, together with those illustrated on the folloing pages, belongs to a group which decorated three apses which were laid out like a cloverleaf. The group was found at Tabarka. All three mosaics show scenes from country life at a time when the prosperity of Proconsular Africa depended on its agriculture.
BARDO MUSEUM (1890)

TABARKA
Dieses Mosaik sowie die folgenden gehört zu einem Gesamtbild, mit dem drei Apsiden in Form eines Kleeblatts geschmückt waren. Gefunden wurde es in Tabarka. Alle drei Mosaiken stellen Szenen aus dem Landleben in dieser Gegend dar, in den Jahrhunderten des Wohlstands der römischen Statthalterschaft. Hier ein Ausschnitt einer Apsis.
BARDO-MUSEUM (1890) 3,50 x 5,50

En bas, provenant d'EL JEM, détail d'une vaste composition au décor compartimenté ayant pavé le sol d'une salle à manger d'apparat.
Ici, un de ces tableaux représentant un canard sauvage.
MUSEE DU BARDO (1904)

Bottom : EL JEM
Detail from a large mosaic which paved a dining hall.
The mosaic was divided in two panels and this one shows a wild duck.
BARDO MUSEUM (1904)

Unten, aus El JEM stammend, Ausschnitt aus einem grossen, mehrteiligen Mosaik, das den Fussboden eines prächtigen Speisesaals schmückte. Hier eins der Mosaiken, eine Wildente darstellend.
BARDO-MUSEUM (1904)

TABARKA
Appartement au même ensemble précédemment décrit (54). Au centre du trifolium, s'élève le château du maître. Elégante demeure à loggia suspendue encadrée de deux hautes ailes, dressée au milieu d'un parc agrémenté d'arbres et de fleurs. Des oiseaux s'ébattent dans le cours d'eau qui arrose la propriété.
MUSEE DU BARDO
3,50 x 5,35

TABARKA
This mosaic belongs to the same group referred to above (54). In the centre of the trefoil stands the mansion with an upper loggia framed by two tall wings. It stands in the middle of a park full of trees and flowers. Birds are splashing in the waters which irrigate the property.
BARDO MUSEUM
3,50 x 5,35

TABARKA
Zu dem zuvor beschriebenen Mosaik gehörend (54). In der Mitte des Trifoliums erhebt sich das Schloss des Gutsherrn, ein prächtiges Gebäude mit oberem Bogengang, umgeben von zwei hohen Türmen. Es stand inmitten eines Parks voller Bäume und Blumen. Vögel erfrischen sich an dem Wasser, mit dem das Gut bewässert wird.
BARDO MUSEUM
3,50 x 5,35

TABARKA
Cet édifice, austère pavillon au toit de chaume, est fort probablement une grange ou un chais. C'est un détail de la mosaïque en page 54 et appartient au même ensemble représentant une exploitation agricole. Le blé, l'huile et le vin furent les productions fondamentales qui firent la richesse de l'Afrique et la fortune de ses habitants.
MUSEE DU BARDO

TABARKA
This less impressive building, with its thatched roof, is probably a barn or a wine store. It is a detail from the mosaic on page 54 and belongs to the same group of mosaics illustrating a farm. Wheat, oil and wine were the three main products of Africa and on these its wealth and that of its inhabitants depended.
BARDO MUSEUM

TABARKA
Dieses etwas schmucklose Gebäude mit dem Strohdach ist höchst-wahrscheinlich ein Schuppen oder ein Weinkeller. Es ist ein Ausschnitt aus dem Mosaik 54 und gehört zu derselben Mosaikgruppe, die einen land-wirtschaftlichen Besitz darstellt. Getreide, Ol und Wein waren die Hapterzeugnisse, die den Reichtum Afrikas und seiner Bewohner ausmachten.
BARDO-MUSEUM

Provenant d'ELLES (Site dans la région du Kef)
Corbeille de fruits. Prémices offertes aux dieux agraires en remerciements des plantureuses récoltes.
MUSEE DU BARDO

ELLES (a site near Le kef)
A basket containing the first fruits of the season, offered to the gods of agriculture in gratitude for a good harvest.
BARDO MUSEUM

ELLES (Ort in der Gegend von Le Kef)
Korb mit den ersten Früchten der Jahreszeit, die den Göttern der Landwirtschaft als Dank für die gute Ernte dargeboten wurden.
BARDO-MUSEUM

TABARKA
Ces deux images sont extraites d'une même mosaïque appartenant à l'ensemble trouvé à Tabarka. Elles représentent à droite un autre bâtiment de l'exploitation agricole, probablement une écurie. A gauche, assise à l'ombre d'un cyprès, la bergère file sa quenouille en gardant ses moutons qui ne sont pas reproduits ici. (Détail de la précédente).
MUSEE DU BARDO
3,50 x 5,40

TABARKA
These two illustrations are details from the same mosaic which belongs to the group from Tabarka already discussed. On the right we have another outhouse, probably a stable. On the left, another detail shows a shepherdess who sits in the shade of a cypress tree and spins with a distaff while keeping her sheep (not shown here).
BARDO MUSEUM
3,50 x 5,40

TABARKA
Diese beiden Bilder sind Ausschnitte aus derselben Mosaikgruppe, die in Tabarka gefunden wurde. Das Bild rechts stellt ein weiteres Gebäude, wahrscheinlich eine Stallung, dar und das links eine Schäferin, die, im Schatten einer Zypresse sitzend, ihre Spindel aufwickelt und dabei ihre Schafe hütet, die hier allerdings nicht dargestellt sind. (Ausschnitt aus dem vorherigen Mosaik)
BARDO-MUSEUM
3,50 x 5,40

CARTHAGE
Détail d'une très grande mosaïque semi-circulaire représentant une vaste demeure de villégiature au bord d'une mer peuplée de poissons et d'êtres fantastiques. Ici, n'est reproduit qu'un fragment représentant un bâtiment à deux étages précédé d'un long portique à colonnes dans un parc planté de cyprès. Des vestiges de villa de plaisance telle que celle-ci ont été retrouvés en maints endroits sur les côtes tunisiennes.
MUSEE DU BARDO (1921)

CARTHAGE
Detail from a very large semicircular mosaic depicting a huge sea-side resort ; the sea is teeming with fish and fantastic creatures. Only a fragment of it is shown here with a two-storeyed building approached by a long colonaded portico in a park full of cypresses. Remains of sea-side villas such as this have been found at several places along the Tunisian coast.
BARDO MUSEUM (1921)

KARTHAGO
Ausschnitt aus einem sehr grossen, halbkreisförmigen Mosaik, das ein grosses Landhaus am Meer darstellt. Das Meer ist voller Fische und Phantasiewesen. Hier wird nur ein Fragment gezeigt, ein zweistöckiges Haus mit einem langen Säulengang davor und ein Park voller Zypressen. Überreste von solchen Landhäusern wurden an vielen Stellen entlang der tunesischen Küste gefunden.
BARDO-MUSEUM (1921)

En bas, à droite, de provenance inconnue, petite mosaïque représentant un panier tressé d'osier chargé de raisins que becquêtent deux oiseaux.
MUSEE DE SOUSSE
0,90 x 0,50

Below, right : Unknown origin. A small mosaic depicting a cane basket containing grapes at which two birds are pecking.
SOUSSE MUSEUM
0,90 x 0,50

Unten rechts ein kleines Mosaik, von dem man nicht weiss, woher es stammt. Es zeigt einen aus Rohr geflochtenen Korb mit Weintrauben, an denen zwei Vögel picken.
MUSEUM SOUSSE
0,90 x 0,50

THUBURBO MAJUS
Détail d'une grande composition de guirlandes fleuries. A l'intérieur des rectangles, divers oiseaux.
MUSEE DU BARDO (1927)

THUBURBO MAJUS
Detail from a large composition consisting of flowering garlands. Withing the rectangles are various birds.
BARDO MUSEUM (1927)

THUBURBO MAJUS
Ausschnitt aus einem grossen Gesamtmosaik mit Blumengirlanden. In den Rechtecken verschiedene Vögel.
BARDO-MUSEUM (1927)

THYNA
Les deux panneaux superposés représentant en bas, un cavalier précédé d'un homme portant une lance ; l'autre, en haut, un personnage étendu sur un lit, devant une table à trois pieds, entouré de rameaux fleuris. Ces deux mosaïques recouvraient des tombes.
MUSEE DE SFAX

THYNA
The lower one of these two superimposed panels shows à rider preceded by a man carrying a spear : above, is a figure, surrounded by flowering branches and lying on a couch in front of which stands a threelegged table. These mosaics covered tombs.
SFAX MUSEUM

THYNA
Das untere der beiden übereinanderliegenden Mosaiken stellt einen Reiter dar, und davor einen Mann mit einer Lanze. Das obere zeigt einen Mann auf einem Bett, umgeben von Blütenzweigen. Davor ein dreifüssiger Tisch. Diese beiden Mosaiken bedeckten Grabstätten.
MUSEUM SFAX

UTIQUE
Exploitation agricole et scènes de la vie campagnarde.
Dans un paysage mouvementé, planté d'arbres parmi lesquels on reconnaît des vignes et des oliviers, divers bâtiments s'élèvent : entre deux collines, c'est un édifice construit en grand appareil d'où s'échappe un ruisseau.
S'agit-il d'un moulin à eau ? Ailleurs, des paysans battent la campagne avec leurs chiens. Il s'agit vraisemblablement d'une scène de chasse.
MUSEE DU BARDO (1946).

UTICA
Agricultural work and scenes from rural life.
The landscape is varied and planted with trees among which are vines and olive trees. There are different buildings and one of these, between two hills, is built of large blocks of masonry ; a stream flows from it and it may indeed have been a watermill !
Elsewhere, peasants are scouring the countryside with their hounds. This is probably a hunting scene.
BARDO MUSEUM (1946)

UTICA
Ländlicher Besitz und Szenen aus dem Landleben. Ein Bild voller Bewegung ; viele Bäume, Weinstöcke, Olivenbäume, mehrere Gebäude, aus dem zwischen zwei Hügeln und aus grossen Steinblöcken erbauten fliesst ein Bach.
Vielleicht war es eine Wassermühle ? Bei den Bauern, die mit ihren Hunden durch die Gegend ziehen, handelt es sich wahrscheinlich um eine Jagdszene.
BARDO-MUSEUM (1946)

*Provenant **d'EL ALIA**, petit site sur la côte du Sahel.*
C'est un extrait d'une grande composition géométrique répartie en cercle et ovales meublés de poissons et de corbeilles de fruits ainsi que des animaux dont une panthère
MUSEE DU BARDO

EL ALIA
(a small site on the Sahel coast)
This is a detail from a large geometric composition consisting of circles and ovals in which are fish, baskets of fruit and animals - among them a panther.
BARDO MUSEUM

***EL ALIA** (kleiner Ort an der Sahel-Küste)*
Ausschnitt aus einem grossen, geometrischen Mosaik, in Kreise und Ovale aufgeteilt, in denen Fische, Körbe mit Früchten sowie Tiere, z.B. ein Panther, dargestellt sind.
BARDO-MUSEUM

SOUSSE
Seuil de maison.
Cercle traversé par une ligne sinueuse. Ce motif, probablement d'origine orientale, serait parvenu dans l'empire romain par la route de la soie.
MUSEE DE SOUSSE

SOUSSE
Threshold of a house.
The motif of a circle across which runs an undulating line is probably of Oriental origin and would have reached the Roman Empire by means of the Silk Route.
SOUSSE MUSEUM

SOUSSE
Eingangsschwelle eines Hauses. Ein Kreis mit einer geschlängelten Mittellinie. Es handelt sich wahrscheinlich um ein Motiv orientalischen Ursprungs, das auf der Seidenstrasse ins römische Weltreich gelangt sein soll.
SOUSSE MUSEUM

CARTHAGE
Cheval de cirque. Par son harnachement, celui-ci appartient à la faction des verts.
La course du cocher dans l'arène du cirque est assimilée à celle du soleil et les quatre factions étaient chacune identifiées à une saison.
MUSEE DU BARDO

CARTHAGE
Circus horse. This horse belongs to the Greens.
The race of the charioteers round the arena was likened to the sun's course and the four rival factions were each identified with a season.
BARDO MUSEUM

KARTHAGO
Zirkuspferd. Es gehört zu den grünen Schildwachen. Der Wettlauf in der Zirkusarena wird mit dem Lauf der Sonne verglichen, und die vier rivalisierenden Schildwachen entsprechen jeweils einer Jahreszeit.
BARDO-MUSEUM

THYNA
Sur un lit de repos, la maîtresse, à demi-allongée, tient un gobelet. Trois amours l'entourent, lui apportant des fleurs ou jouant de la musique. Il s'agit, comme pour les mosaïques précédentes 65, d'un pavement funéraire représentant la défunte dans son idéal d'immortalité.
MUSEE DE SFAX

THYNA
The mistress of the house holds a drinking cup and reclines on a couch.
Three Cupids surround her and bring her flowers or make music. Here, as above (65), we are dealing with a tomb mosaic which shows the deceased in an ideal after life.
SFAX MUSEUM

THYNA
Die Herrin des Hauses liegt halb ausgestreckt auf einer Couch und hält in der Hand einen Becher. Drei Kupidos bringen ihr Blumen oder machen Musik. Es handelt sich, wie bei den vorherigen Mosaiken (65), um ein Grabmosaik, das die Verstorbene in idealisierter Unsterblichkeit darstellt.
SFAX MUSEUM

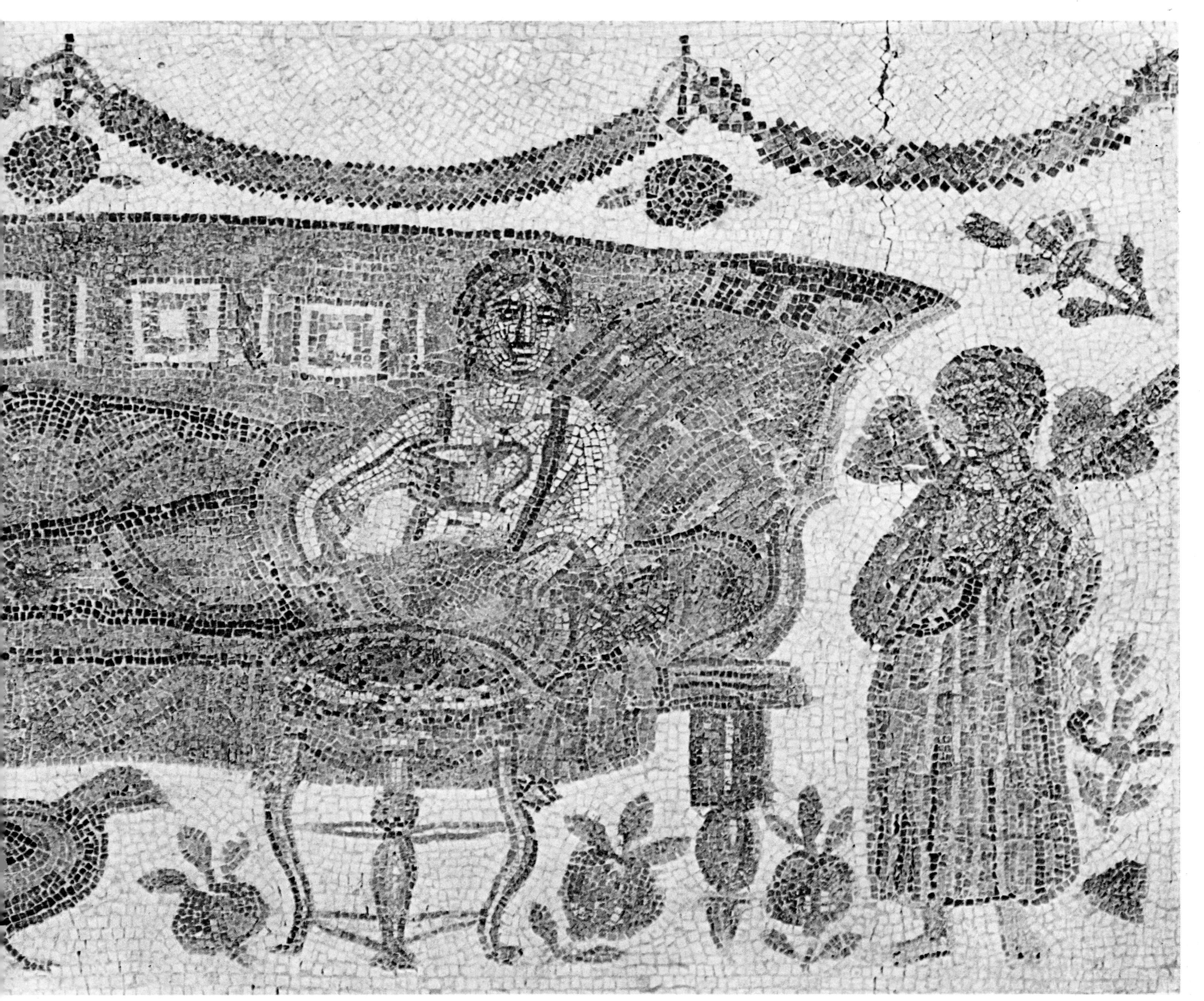

LA CHEBBA
Détail d'un grand tableau représentant le triomphe de Neptune et les quatre saisons.
MUSÉE DU BARDO (1902)

LA CHEBBA
Detail from a large mosaic depicting the triumph of Neptune and of the Four Seasons.
BARDO MUSEUM (1902)

LA CHEBBA
Ausschnitt aus einem grossen Mosaik, das den Triumph Neptuns und die vier Jahreszeiten darstellt.
BARDO-MUSEUM (1902)

OUDNA
Arabesque de motifs floraux. On distingue des tiges verticales de millet sortant de vases et de culot d'acanthe, enlacés de rinceaux de vigne chargés de fruits. Millet, vigne et céréales ont été les productions essentielles de l'Afrique.
MUSEE DU BARDO

OUDNA
Intertwined floral motifs. The vertical stems of millet rise from vases and from a group of acanthus leaves ; round these twine vines loaded with bunches of grapes.
BARDO MUSEUM

OUDNA
Arabeske mit Blütenmotiven. Zu erkennen sind senkrechte Hirsegrasstiele, die in Vasen oder Akanthusblättern stecken und um die sich Weinlaub rankt, an dem Weintrauben hängen. Hirsegras, Wein und Getreide waren die Haupterzeugnisse Afrikas.
BARDO-MUSEUM

EL ALIA
Mosaïque à thème nilotique. Détail. Scènes pittoresques de type alexandrin mêlant architecture élégante et humble hutte campagnarde.
MUSEE DU BARDO (1896)

EL ALIA
Detail from a Nilotic scene. These picturesque scenes are Alexandrian in inspiration and show handsome architecture and simple country huts in the same context.
BARDO MUSEUM (1896)

EL ALIA
Mosaik mit nilotischem Thema. Ausschnitt. Bei diesen malerischen Szenen mit alexandrinischem Einfluss vermischen sich elegante Bauelementè mit einfachen, ländlichen Hütten.
BARDO-MUSEUM (1896)

EL ALIA
Même mosaïque. Détail représentant des scènes bucoliques : des pêcheurs halent un grand filet sur les bords d'un lac. Un paysan excite son âne porteur de grosses courges. Au fond, une luxueuse villa à portique.
MUSEE DU BARDO

EL ALIA
Detail from the same mosaic as the preceding illustration. Here we have bucolic scenes with fishermen hauling in a huge net on the edge of a lake, a peasant driving his donkey which is laden with large marrows and, in the background, a luxurious, porticoed villa.
BARDO MUSEUM

EL ALIA
Ausschnitt aus demselben Mosaik, Szenen aus dem Hirtenleben darstellend : Fischer am Seeufer ziehen ein grosses Netz ein. Ein Bauer treibt seinen Esel an, der schwere Lasten trägt. Im Hintergrund eine luxuriöse Villa.
BARDO-MUSEUM

EL JEM
Grande composition compartimentée : chaque petit tableau est décoré d'un motif ayant trait à la table : fruits, gibier, animaux.
MUSEE DU BARDO (1950) - 5,16 x 3,46

EL JEM
A large composition which is divided up into compartments. Each compartment bears a subject which is related to food : fruit, game or animals.
BARDO MUSEUM (1950).

EL JEM
Grosse, unterteilte Gesamtkomposition : Jedes kleineViereck zeigt etwas aus dem Bereich der Nahrung : Früchte, Wild, Tiere.
BARDO-MUSEUM (1950) 5,16 x 3,46.

CARTHAGE
Scène de banquet. Un serveur portant sur la tête un grand plateau, sert les convives assis à de petites tables. Au premier plan, un vieux musicien joue de la flûte de Pan, tandis que deux danseuses évoluent devant les banqueteurs en battant des castagnettes à longs manches. Ce détail est extrait d'une grande mosaïque représentant sur tout son pourtour la scène de banquet. Elle est malheureusement en bonne partie détruite.
MUSEE DU BARDO (1896).

CARTHAGE
A banqueting scene. A servant carries a large tray on his head and serves the guests who are seated at small tables. In the foreground an elderly musician is playing pan-pipes while two girls dance before the guests and rattle long-handled castanets. This is a detail from a big mosaic with a banqueting scene all around it. Unfortunately, a large part of it has been destroyed.
BARDO MUSEUM (1896)

KARTHAGO
Ein Gastmahl. Ein Diener trägt auf dem Kopf ein grosses Tablett und bedient die Gäste, die an kleinen Tischen sitzen. Im Vordergrund ein alter Pan-Flötenspieler, zu dessen Tönen zwei Tänzerinnen mit Kastanietten mit langen Griffen vor den Gästen tanzen. Es handelt sich um einen Ausschnitt aus einem grossen Mosaik, das die ganze Szene des Gastmahls darstellt. Leider ist es zu einem grossen Teil zerstört.
BARDO-MUSEUM (1896)

En bas, à gauche provenant d'UZITTA, petit site au sud de Sousse. Tableau bichrome (blanc et noir) représentant deux rinceaux de vigne sortant d'un cratère à godrons et couvrant en arabesque le champ.
MUSEE DE SOUSSE
0,60 x 0,60

Below, left : UZITTA (a small site south of Sousse)
A black and white mosaic showing two vine shoots which rise from a crater and cover the field with their tendrils.
SOUSSE MUSEUM
0,60 x 0,60

Unten links, aus UZITTA, einem kleinen Ort südlich von Sousse, stammend, ein Schwarz-weissmosaik, das zwei rankende Weinstöcke zeigt, die in einem Mischkrug mit Randverzierungen stecken.
SOUSSE MUSEUM
0,60 x 0,60

SOUSSE
Cette mosaïque semi-circulaire représente les apprêts d'un banquet : les mets et les victuailles destinés aux hôtes sont présentés artistiquement : une gazelle préparée entière est entourée de légumes et de fruits, tandis que des rameaux fleuris agrémentent la table. La couronne à quatre pointes, placée en bonne place au-dessus de la gazelle, représente le symbole de l'association qui offre ce banquet.
MUSEE DE SOUSSE

SOUSSE
This semicircular mosaic shows the dishes prepared for a banquet. The various types of food are artistically displayed for the guests and consist of a whole gazelle surrounded by vegetables and fruit. Flowers decorate the table. A four-pointed crown is centrally placed above the gazelle and is the emblem of the society which is giving the banquet.
SOUSSE MUSEUM;

SOUSSE
Dieses halbkreisförmige Mosaik zeigt die Vorbereitungen für ein Festmahl : Die verschiedenen Speisen sind kunstvoll aufgebaut : eine Gazelle im Ganzen, umgeben von Gemüse und Obst, dazu Blütenzweige als Tischschmuck. Die vierzackige Krone oberhalb der Gazelle dient als Symbol für die Gesellschaft, die das Festmahl veranstaltet.
SOUSSE MUSEUM

LA CHEBBA
En bas, à gauche : Scène grotesque appartenant au répertoire du culte bachique. Vieillard ventripotent, un Silène ivre est monté sur un âne que taquinent un Pan et un Faune. Ce sont là les compagnons habituels de Bacchus.
MUSEE DE SFAX

LA CHEBBA
Below, left : A ludicrous scene which belongs to the repertoire of Bacchic cults. Old, fat and drunk Silenus rides on the back of a donkey teased by a satyr and a faun. These figures usually accompany Bacchus.
SFAX MUSEUM

LA CHEBBA
Unten links : Eine groteske Szene, die Bestandteil des BacchusKultes ist. Ein alter, fettleibiger und betrunkener Silonos reitet auf einem Esel, den ein Pan und ein Faunus necken. Diese beiden sind die ständigen Begleiter des Bacchus.
MUSEUM SFAX

OUDNA
Détail d'un pavement de la villa des "Laberii". Au milieu de scènes de vendanges allégoriques, tableau illustrant la légende de Dionysos faisant don de la vigne au roi de l'Attique Ikarios. Sous le regard du dieu représenté sous les traits d'un éphèbe couronné de pampre tenant le sceptre, le vieux roi, assis, reçoit la grappe de raisin que lui présente un serviteur.
MUSEE DU BARDO (1893)

OUDNA
Detail of a mosaic pavement from the "Villa des Laberii". In the midst of an allegorical wine-harvest, we have an illustration of the legend according to which Dionysos bestowed the vine on Ikarios, king of Attica, as a gift. The god is shown as a young athlete crowned with vine leaves and carrying a sceptre. The old king is seated and receives the bunch of grape from an attendant.
BARDO MUSEUM (1893)

OUDNA
Ausschnitt aus einem Bodenmosaik der "Villa des Laberii". In der Mitte der Szene der allegorischen Weinlese eine Darstellung der Legende des Dionysos, der Ikarios, dem König von Attica, Weintrauben darbietet. Der Gott ist als junger Athlet mit einer Krone aus Weinlaub dargestellt, in der Hand hält er ein Zepter. Vor seinen Augen empfängt der alte, sitzende König die Weintraube aus der Hand eines Dieners.
BARDO-MUSEUM (1893)

EL JEM
Détail d'un pavement entièrement couvert de rinceaux de vigne sortant de quatre cratères occupant les angles du panneau. Oiseaux, animaux et individus peuplent cette végétation luxuriante dont cet amour ailé tenant une échelle destinée à la vendange. Les amours vendangeurs sont un thème privilégié du répertoire dionysiaque.
MUSEE D'EL JEM

EL JEM
Detail of a pavement which is entirely covered with vine trellises which spring from four craters in the four corners of the mosaic. Birds, beasts and figures move through the luxuriant vegetation and among them is this winged Cupid who carries a ladder for the wine-harvest. Cupids are often shown as wineharvesters and this is a favorite theme of the Dionysiac repertoire.
EL JEM MUSEUM

EL JEM
Ausschnitt aus einem Bodenmosaik, das ganz mit Weinlaub bedeckt ist, das aus vier Mischkrügen in den vier Ecken des Mosaiks kommt. Vögel, Tiere und Figuren beleben diese üppige Vegetation. Unter ihnen ein beflügelter Kupido, der eine Leiter für die Weinlese hält. Kupidos bei der Weinlese sind ein beliebtes Motiv im Dionysischen Repertoire.
MUSEUM EL JEM

Provenance incertaine : petit tableau représentant un faisan.
MUSEE DE SFAX

Uncertain provenance : A small mosaïc depicting a pheasant
SFAX MUSEUM

Von nicht eindeutiger Herkunft ist dieses kleine Mosaik, das einen Fasan darstellt.
MUSEUM SFAX

SOUSSE
La représentation de ce phallus en forme de poisson entre deux sexes féminins est utilisée comme symbole apotropaïque contre l'"invidus" c'est-à-dire le "mauvais œil" des envieux. Il figure généralement sur le seuil de la porte d'entrée de la maison.
MUSEE DE SOUSSE

SOUSSE
The fish-shaped phallus between two pubic triangles is used as an apotropaic symbol against the "evil one" the evil eye of the envious. It is generally located on the threshold of the doorway into a house.
SOUSSE MUSEUM

SOUSSE
Die Darstellung dieses Phallus in Form eines Fisches zwischen zwei weiblichen Geschlechtsorganen ist ein apotropaisches Symbol gegen das "Böse", d.h. den "bösen Blick" der Neider. Es befindet sich meistens auf der Türschwelle des Hauses.
MUSEUM SOUSSE

SOUSSE
Mosaïque de "Théodule", du nom du propriétaire inscrit en lettres grecques. D'un grand cratère s'échappent deux ceps de vigne peuplés d'oiseaux divers. Au milieu, un palmier portant deux régimes de dattes. Cette mosaïque d'époque byzantine utilise des motifs de signification chrétienne empruntés pour la plupart au vieux fond païen
MUSEE DE SOUSSE

SOUSSE
The name of the owner of the mosaic, Theodulos, is written in Greek. Two vine-shoots spring from a crater, and among the tendrils are various birds. In the centre there is a palm-tree with clusters of dates on both sides. This mosaic belongs to the Byzantine period and incorporates Christian symbols and motifs which are borrowed, for the most part, from the ancient pagan repertoire.
SOUSSE MUSEUM

SOUSSE
Der Name des Besitzers des Mosaiks, Theodulos, ist in griechischen Buchstaben geschrieben. Aus einem grossen Mischkrug entspringen zwei Weinstöcke, in deren Laub verschiedene Vögel sitzen. In der Mitte eine Palme mit zwei Dattelstauden. Bei diesem Mosaik aus der byzantinischen Epoche werden christliche Motive und solche mit zum grössten Teil heidnischem Ursprung verwendet.
MUSEUM SOUSSE

ΘΕΟΔΟΥΛΟΥ

MARTIAS
APRILES
MAIAS
IVNIVS
IVLIVS
AVGVSTAS
SEPTEMBER
OCTOBRES
NOVEMBER
DECEMBER
IANVARIVS
FEBRARIVS

EL JEM
Calendrier illustré avec les génies et les mois de l'année. Chacun des quatre génies introduit les mois de sa saison. En douze petits tableaux. C'est, soit une allégorie, soit une fête, soit une manifestation importante qui illustre le mois.
MUSEE DE SOUSSE
5 x 4

EL JEM
A calendar showing the four spirits of the seasons who each introduce the months of their season. The months are illustrated by twelve little scenes-allegories or distinguishing celebrations and activities.
SOUSSE MUSEUM
5 x 4

EL JEM
Ein Kalender, der die vier Geister, die jeweils den ersten Monat einer Jahreszeit darstellen, zeigt sowie die Monate des Jahres, in zwölf kleinen Bildern. Es handelt sich um eine Allegorie oder ein Fest oder ein wichtiges Ereignis in dem jeweiligen Monat.
MUSEUM SOUSSE
5 x 4

Provenance incertaine
Mosaïque du seuil décorée de quatre feuilles cordiformes.
MUSEE DE SOUSSE
0,80 x 0,60

Uncertain origin.
Threshold panel decorated with four heart-shaped leaves.
SOUSSE MUSEUM
0,80 x 0,60

Von nicht eindeutiger Herkunft ist dieses Türschwellenmosaik, das mit vier herzförmigen Blättern verziert ist.
MUSEUM SOUSSE
0,80 x 0,60.

Provenance inconnue
Petit tableau illustré
d'un échassier
MUSEE DE SFAX

Unknown origin
A small panel depicting
a long-legged wading-
bird
SFAX MUSEUM

Kleines Mosaik von
unbekannter Herkunft,
einen Stelzenläufer
darstellend.
MUSEUM SFAX

EL JEM
Composition géométrique. Dans un entrelas symétrique au décor dissemblable (tresse et couronnes de laurier), des motifs géométriques ou figurés (fruits et animaux occupent les cercles que ce dessin détermine).
MUSEE D'EL JEM

EL JEM
Geometric composition. In a symmetrical intertwining of dissimilar designs (strap-work and baywreaths), geometric or figured patterns (fruits and animals fill in the circles of the drawing)
EL JEM MUSEUM

EL JEM
Geometrische Komposition. In einem symmetrischen Geflecht mit verschiedenen Mustern (Zöpfe und Lorbeerkränze) befinden sich geometrische oder gegenständliche Motive (Früchte und Tiere) in den Kreisen, die in diesem Bild vorherrschen.
MUSEUM EL JEM

LA CHASSE AU LIÈVRE
El Jem
Musée du Bardo (détail)

A HARE-HUNT SCENE
El Jem
Bardo Museum (detail)

II

Chasse
Hunting
Jagd

" Je chante les mille genres de chasse ; je raconte les joyeux exercices, les courses rapides et les combats qui troublent la paix des campagnes... Je me plais à percer le lièvre timide et le daim sans défense, à tendre des pièges au loup audacieux et au rusé renard..."

NEMESIEN DE CARATHAGE
Cynégétiques

" I sing of a hundred types of hunting ; I tell of joyous exercises, of swift races and of fights which trouble the peace of the countryside... I find pleasure in piercing the timid hare and the defenceless deer, in setting traps for the daring wolf and the cunning fox..."

NEMESIANUS OF CARTHAGE
Cynegetica

" Ich besinge die tausend verschiedenen Jagdarten : Ich erzähle von fröhlichen Jagdpartien, von schnellen Rennen und von Kämpfen, die die Ruhe auf dem Land stören... Mein Vergnügen ist es, dem scheuen Hasen und dem schutzlosen Damhirsch aufzulauern, dem waghalsigen Wolf und dem schlauen Fuchs Fallen zu stellen..."

NEMESIANUS VON KARTHAGO
Über die Kunst des Jagens

CARTHAGE
Partie supérieure d'un pavement d'abside représentant une chasse au sanglier. En bas, la poursuite d'un sanglier déjà pris dans le filet. En haut, le retour des chasseurs pliant sous le poids du gibier. Aux angles supérieurs, partie de la bordure de rinceaux d'acanthe peuplés d'oiseaux ou de fleurs.
MUSEE DU BARDO (1924)

CARTHAGE
Upper part of an apsidal mosaic depicting a boar-hunt. Below, the boar is chased into a net and captured. Above, the huntsmen return, bowingunder the weight of the game. In the upper corners can be seen part of the acanthus-scroll border enclosing birds and flowers.
BARDO MUSEUM (1924).

KARTHAGO
Oberer Teil vom Boden einer Apsis, der die Wildschweinjagd darstellt. Unten die Verfolgung eines Wildschweins, das schon im Netz gefangen ist. Oben die Rückkehr der Jäger, an der Last der Beute schwer tragend. In den oberen Ecken ein Teil der Umrandung aus Acanthusblättern, voller Vögel und Blumen.
BARDO-MUSEUM (1924)

CARTHAGE
Bouclier de triangles rayonnant entourant un médaillon central : un oiseau, probablement un perdreau, prisonnier dans une cage étroite servant d'appât à ses congénères.
MUSEE DU BARDO
(1887)

CARTHAGE
A pattern of triangles radiating from a central circle and enclosing a small cage in which is a patridge, serving as bait for its fellows.
BARDO MUSEUM
(1887)

KARTHAGO
Schild aus Dreiecken, die ringförmig ein Medaillon in der Mitte umschliessen : ein in einem engen Käfig eingesperrter Vogel, wahrscheinlich ein Rebhuhn, das als Köder für seine Artgenossen dient.
BARDO-MUSEUM
(1887)

OUDNA
Détail d'une mosaïque en grande partie détériorée représentant ici un éléphant.
MUSEE DU BARDO
(1893)

OUDNA
This detail from a badly preserved mosaic shows an elephant.
BARDO MUSEUM
(1893)

OUDNA
Ausschnitt aus einem zum grossen Teil beschädigten Mosaik, hier einen Elefanten darstellend.
BARDO-MUSEUM
(1893)

EL JEM
Chasse au lièvre. Dans un paysage parsemé d'arbres et de buissons, au premier registre, le départ des cavaliers accompagné d'un rabatteur : aux registres suivants, le lâcher des chiens et la poursuite éperdue des cavaliers derrière le lièvre. Un autre lièvre est blotti dans un buisson épineux.
MUSEE DU BARDO
(1906)

EL JEM
A hare-hunt scene. A landscape strewn with trees and bushes. At the upper level, the horsemen are setting off accompanied with their beater : at the following levels, the hounds are let loose and the horsemen wildly pursue a hare. Another hare is hiding in a thorny briar.
BARDO MUSEUM
(1906)

EL JEM
Hasenjagd. In einer Landschaft mit verstreuten Bäumen und Sträuchern ist in der ersten Reihe der Aufbruch der Reiter in Begleitung eines Treibers zu sehen ; in den folgenden Reihen werden die Hunde losgelassen, und die wilde Verfolgung des Hasen beginnt. Ein anderer Hase hat sich in einem stacheligen Strauch verkrochen.
BARDO-MUSEUM
(1906)

CARTHAGE
Symétriquement affrontés de chaque côté d'un pin, deux lions. Au registre supérieur, dans un paysage planté de rosiers, deux lièvres sautant.
MUSEE DU BARDO

CARTHAGE
Two lions are facing each other across an umbrella pine tree. Above them, two hares are leaping among rose bushes.
BARDO MUSEUM

KARTHAGO
Zwei Löwen, die sich kampfbereit zu beiden Seiten eines Pinienbaumes gegenüberstehen. In der oberen Reihe zwei springende Hasen zwischen Rosensträuchern.
BARDO-MUSEUM

En bas, à gauche provenant de **KORBA** *(sur la côte orientale du Cap-Bon). Détail d'une scène d'amphithéâtre : deux ours aux prises. L'Afrique a été la principale réserve en bêtes sauvages destinées aux jeux d'amphithéâtre pour l'ensemble de l'Empire. MUSEE DU BARDO*

Below left : **KORBA** *(on the east coast of the Cap Bon) Detail of an amphitheatre scene : two fighting bears. Africa was the chief source of supply for wild animals for amphitheatre games throughout the Empire. BARDO MUSEUM*

Unten links, aus KORBA (an der Ostküste des Cap Bon), ein Ausschnitt aus einer Amphitheaterszene : zwei kämpfende Bären. Afrika lieferte dem ganzen Weltreich die meisten Raubtiere für die Wettspiele in den Amphitheatern. BARDO-MUSEUM

SOUSSE *Fragment d'un grand panneau comportant en plusieurs registres des scènes de combats d'animaux sauvages avec des bestiaires. Ici, quatre de ces "venatores" qui viennent de mettre à mort un grand nombre de ces bêtes, manifestent leur victoire dans l'arène de l'amphithéâtre. MUSEE DE SOUSSE*

SOUSSE *Part of a large mosaic which shows, in several registers, various fights between wild animals and gladiators. Here, we have four "venatores" who have just put to death a great number of animals and are celebrating their victory in the arena. SOUSSE MUSEUM*

SOUSSE *Teil eines grossen Mosaiks, das in mehreren Reihen Kämpfe zwischen Raubtieren und Gladiatoren darstellt. Hier vier von diesen "venatores", die gerade eine grosse Anzahl dieser Tiere bezwungen haben und ihren Sieg in der Arena des Amphitheaters feiern. MUSEUM SOUSSE*

THUBURBO MAJUS
Partie d'un grand pavement. Se détachant dans des couronnes de lauriers tantôt circulaires, tantôt hexagonales, des avant-trains d'animaux d'amphithéâtre. On note des tigres, sangliers, cerfs, taureaux, zèbres, autruche.
MUSEE DU BARDO (1940).

THUBURBO MAJUS
Part of a large pavement. The fore-quarters of amphitheatre animals are enclosed in circular or hexagonal laurel wreaths. There are tigers, boars, stags, bulls, zebras, ostriches, etc.
BARDO MUSEUM (1940)

THUBURBO MAJUS
Teil eines grossen Bodenmosaiks. Der vordere Körperteil von Amphitheatertieren in runden oder sechseckigen Lorbeerkränzen. Zu sehen sind Tiger, Wildschweine, Hirsche, Stiere, Zebras und ein Strauss.
BARDO-MUSEUM (1940)

LE KEF
Détail d'une mosaïque d'abside en grande partie détériorée. Ici, un troupeau d'autruches est prisonnier à l'intérieur d'un vaste filet dont un valet et des chiens ferment l'issue.
MUSEE DU BARDO (1932)

LE KEF
Detail from an absidal mosaic which is largely destroyed. Here a herd of ostriches is enclosed in a large net whose exit is sealed off by an attendant and his dogs.
BARDO MUSEUM (1932)

LE KEF
Ausschnitt aus einem Apsismosaik, zum grossen Teil beschädigt. Hier eine Herde von Straussen, die in einem grossen Netz gefangen sind und denen ein Diener und deren Hunde den Weg versperren.
BARDO-MUSEUM (1932)

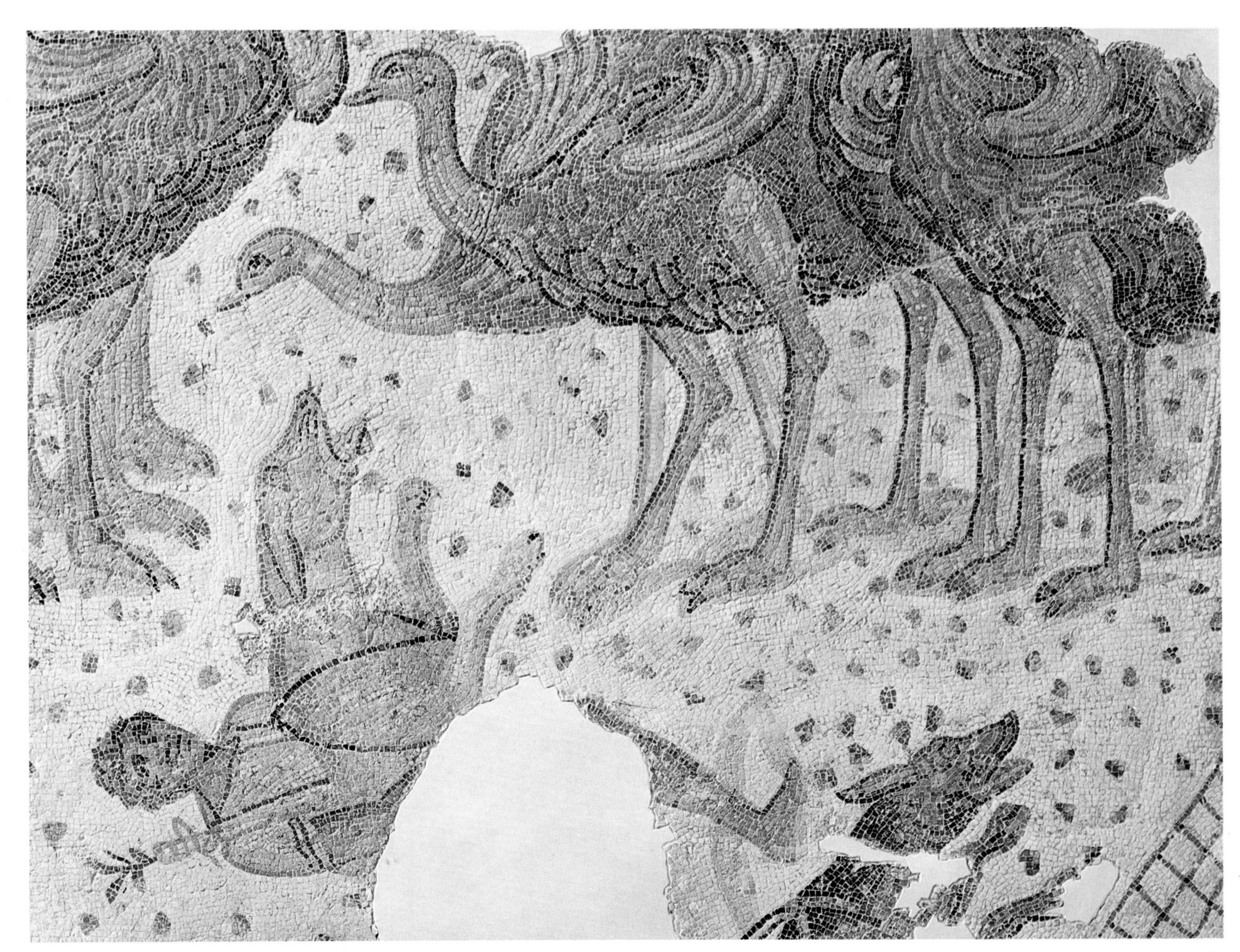

OUDNA
Ce panneau constitue le seuil d'une grande pièce qui était pavée de la mosaïque de Dionysos et Ikarios (p. 83). Il représente une chasse à courre : c'est, à travers la campagne, la vertigineuse poursuite d'un lièvre et d'un renard par deux cavaliers et leurs lévriers du nom de Mustela et d'Ederatus qu'un serviteur a lâchés.
MUSEE DU BARDO (1893)

OUDNA
This is the threshold panel of the room which was paved with the mosaic of Dionysos and Ikarios (83). It is decorated with a hunting scene showing the headlong pursuit across the countryside of a hare and a fox by two riders and their hounds, named Mustela and Ederatus, which an attendant has just unleashed.
BARDO MUSEUM (1893)

OUDNA
Das Türschwellenmosaik eines grossen Raumes, dessen Boden mit dem Mosaik von Dionysos und Ikarios (83) ausgelegt war. Es zeigt eine Jagdszene : die unerbittliche Verfolgung, quer durchs Land, eines Hasen und eines Fuchses durch zwei Reiter und ihre Windhunde mit Namen Mustela und Ederatus, die ein Diener gerade losgelassen hat.
BARDO-MUSEUM (1893)

EDERATVS
MVSTELA

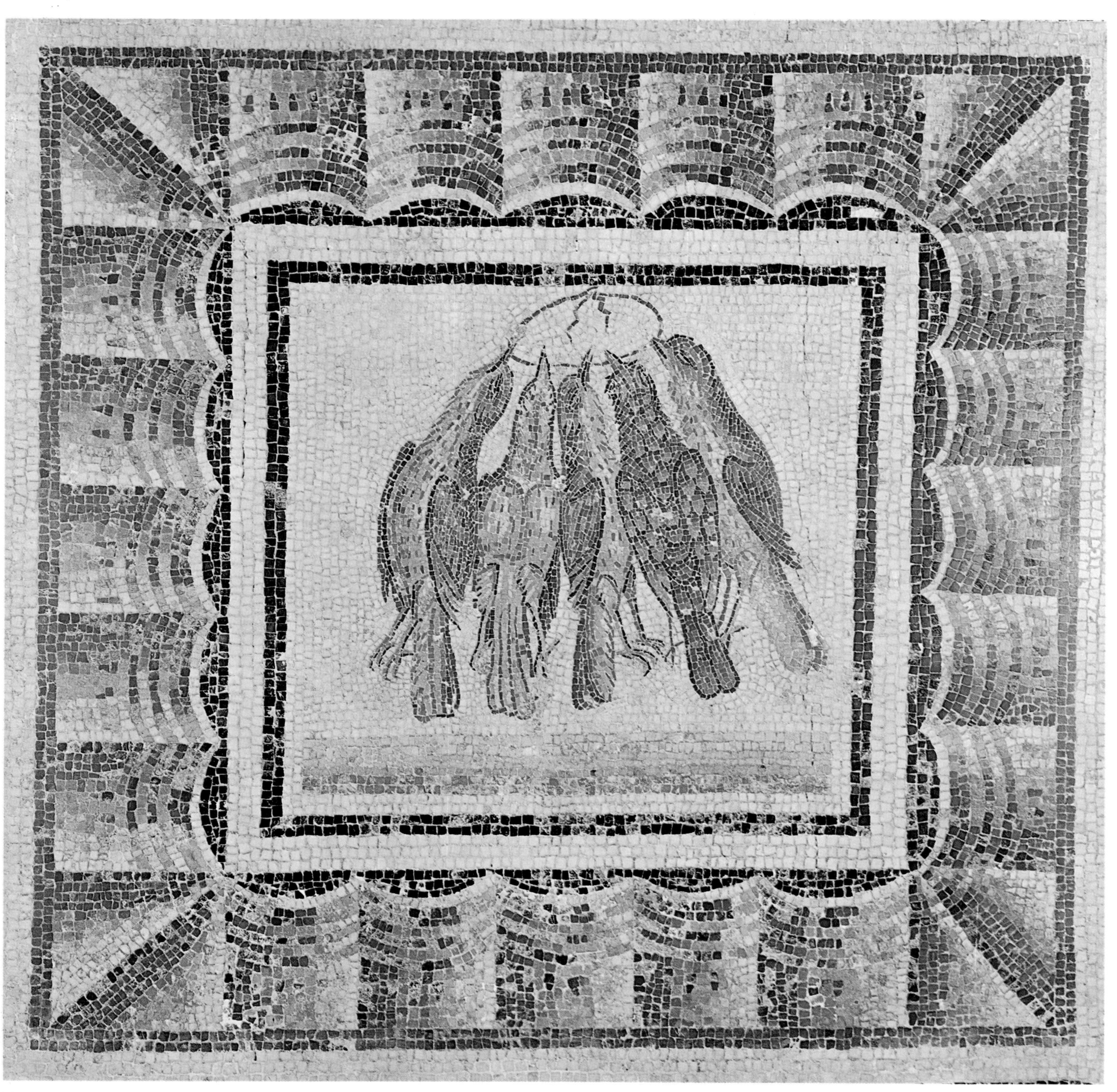

EL JEM
Détail d'un pavement de triclinium (salle à manger) représentant un chapelet de cinq grives.
MUSEE DU BARDO (1904)

EL JEM
Detail of a triclinium (dining-room) mosaic showing five thrushes strung together.
BARDO MUSEUM (1904)

EL JEM
Ausschnitt eines Bodenmosaiks aus einem Triclinium (Speisesaal), das fünf an einer Schnur aufgehängte Drosseln zeigt.
BARDO-MUSEUM (1904)

CARTHAGE
Ce fragment ainsi que le suivant appartiennent à la même mosaïque. Dans un paysage méditerranéen, un filet a été tendu entre deux pins parasols. Un cavalier excite ses lévriers poursuivant deux lièvres, un faucon dressé fond sur une autre proie.
MUSEE DU BARDO

CARTHAGE
This fragment, and the following one, belong to the same mosaic. In the Mediterranean countryside a net has been stretched between two umbrella pine trees. A rider urges on two hounds which are running down two hares while a trained falcon seizes another prey.
BARDO MUSEUM

KARTHAGO
Dieser Ausschnitt sowie der folgende gehören zu demselben Mosaik. In einer Mittelmeerlandschaft ist ein Netz zwischen zwei Schirmpinien gespannt worden. Ein Reiter treibt seine Windhunde an, die zwei Hasen verfolgen, und ein abgerichteter Falke stürzt sich auf eine andere Beute.
BARDO-MUSEUM

107

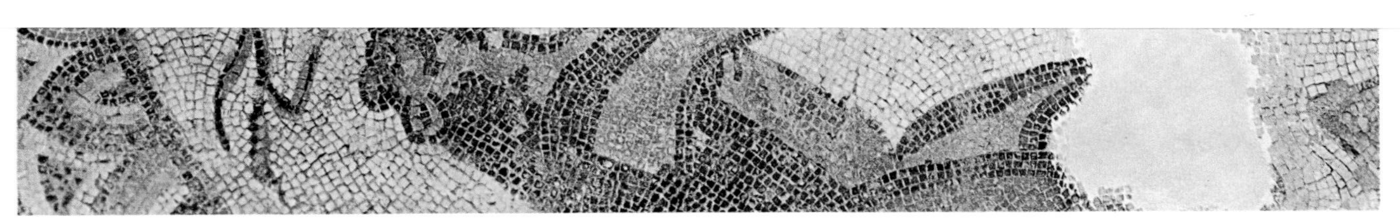

109

KHANGUET EL HEJJAJ
Si la chasse à courre au lièvre est un divertissement pour seigneur oisif, la chasse

Voici l'un d'eux qui, au mépris du danger, s'apprête à lancer son lasso pour maîtriser un ours en furie.
MUSEE DU BARDO

KHANGHET EL HEJJAJ
Hunting hares may have been a pastime for landowners with nothing better to do, but it

Here is one who, disregarding danger, is about to cast his lasso at an infuriated bear in order to bring it down.
BARDO MUSEUM
(1911)

KHANGUET EL HAJJAJ
Während die Hasenjagd ein Zeitvertreib für müssige Gutsherren ist, ist die Jagd auf Raubtiere in freier Wildbahn oder

von ihnen, der gerade kühn sein Lasso wirft, um einen wild gewordenen Bären zu bezwingen.
BARDO-MUSEUM
(1911)

THUBURBO MAJUS
Diane chasseresse au milieu d'animaux d'amphithéâtre cervidés, antilope, bouquetin, bêlier et autruche, représentés en pleine course, chacun dans un médaillon. Au milieu, un gladiateur vêtu d'une cuirasse et armé d'un bouclier fait face à un personnage faisant une libation. Entre eux est venu s'encastrer le tableau représentant une Diane chevauchant un cerf.
MUSEE DU BARDO (1939).

THUBURBO MAJUS
The hunting goddess Diana among amphitheatre animals. Stags, antilopes, ibexes, a ram and an ostrich are shown in full gallop in separate medallions. In one of the central medallions is a gladiator wearing a breatsplate and holding a shield ; he faces a figure who is pouring a libation. The panel with Diana riding a stag has been inset between them.
BARDO MUSEUM (1939).

THUBURBO MAJUS
Diana, die Göttin der Jagd, inmitten von Amphitheatertieren : Hirsche, Antilopen, Steinböcke, ein Widder und ein Strauss, die in vollem Lauf in jeweils einem Medaillon dargestellt sind. In der Mitte ein geharnischter Gladiator mit einem Schild, und gegenüber bringt jemand ein Trankopfer. Dazwischen ist Diana zu sehen, die auf einem Hirsch reitet.
BARDO-MUSEUM (1939).

SOUSSE
Lévrier noir bondissant
MUSEE DE SOUSSE

SOUSSE
A black hound is shown leaping.
SOUSSE MUSEUM

SOUSSE
Springender schwarzer Windhund. MUSEUM SOUSSE

KHANGUET EL HEJJAJ
Le chasseur Lampadus vêtu d'une riche livrée s'avance pour capturer une bête sauvage avec son lasso. Dans le champ, branches de millet et épieux.
MUSEE DU BARDO (1911)

KHANGUET EL HEJJEJ
The hunter Lapadus in rich livery moves up to lasso a wild beast. Over the field are twigs of milletgrass and boar-spears.
BARDO MUSEUM (1911)

KHANGUET EL HEJAJ
Der Jäger Lampadus in einem prächtigen Gewand macht sich daran, ein Raubtier mit seinem Lasso zu fangen. Auf dem Feld sind Zweige von Hirsegras und Spiesse.
BARDO-MUSEUM (1911)

Provenance incertaine. Fragment d'une composition géométrique fleurie. Dans le médaillon, divers animaux.
MUSEE DU BARDO

Uncertain origin
A fragment of a floral geometric composition. Various animals are enclosed in the medallions.
BARDO MUSEUM

Von nicht eindeutiger Herkunft ist dieser Teil einer geometrischen Blumenkomposition. In den Medaillons sind verschiedene Tiere zu sehen.
BARDO-MUSEUM

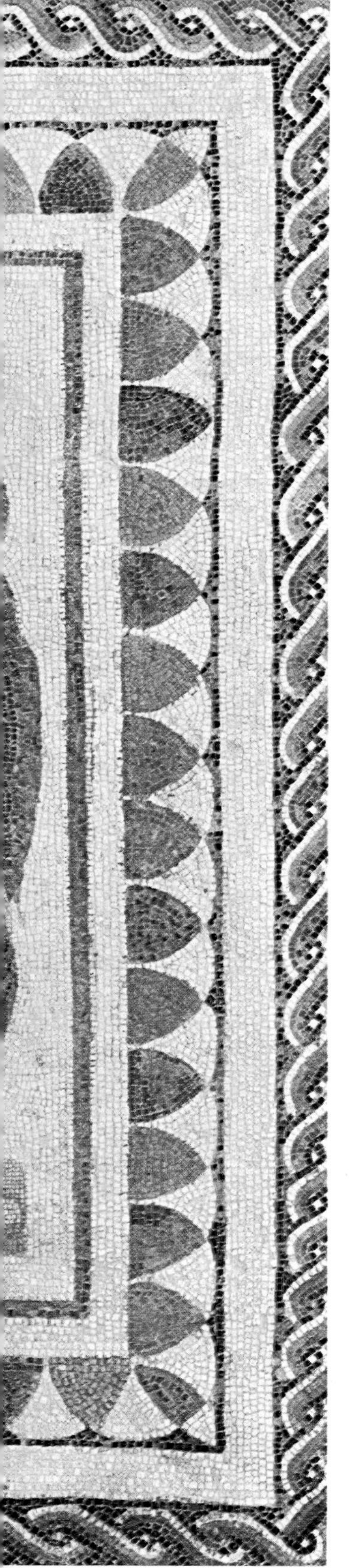

EL JEM
Tigre assaillant des onagres.
Le fauve a déjà posé sa puissante griffe sur un onagre qu'il s'apprête à dévorer. L'autre onagre s'enfuit de frayeur en jetant un regard sur la victime. Ce tableau faisait pendant à un autre représentant dans le même style alexandrin, deux lions dévorant un sanglier.
MUSEE D'EL JEM

EL JEM
A tiger is shown attacking onagres.
The beast has already seized one onagre which it is about to devour while the other onagre is escaping but casting a fearful look back at the victim. This panel and another, in the same Alexandrian style, formed a pair ; the other panel shows two lions devouring a wild boar.
EL JEM MUSEUM

EL JEM
Ein Tiger beim Angriff auf wilde Esel. Das Raubtier hat schon mit seiner gewaltigen Pranke einen Esel erfasst und macht sich daran, ihn zu zerfleischen. Der andere Esel flieht entsetzt mit einem letzten Blick auf das Opfer. Dieses Mosaik bildet ein Paar mit einem anderen, im selben alexandrinischen Stil, das zwei Löwen darstellt, die ein Wildschwein zerfleischen.
MUSEUM EL JEM

ACHOLLA
(site au nord de Sfax)
Composition géométrique agrémentée d'animaux. Ici, onagre s'élançant.
MUSEE DU BARDO

ACHOLLA
(a site to the north of Sfax)
A geometric composition with animals inset. Here we have a gallopping onagre.
BARDO MUSEUM

ACHOLLA
(Ort nördlich von Sfax).
Eine geometrische Komposition, aufgelockert mit Tieren. Hier ein galloppierender Wildesel.
BARDO-MUSEUM

CATALOGUE DES VAISSEAUX
Althiburos
Musée du Bardo (détail)

CATALOGUE OF SHIPS
Althiburos
Bardo Museum (detail)

Mer et pêche
Sea and fishing
Meer und fischfang

" Près de la colonie d'Hippone,
en Afrique, sur le bord de la mer,
il y a un étang navigable, d'où sort,
comme un fleuve, un large canal.
Tous les âges viennent y goûter les
plaisirs de la pêche, de la navigation
et du bain..."

PLINE LE JEUNE
Lettres, IX, 33

" Near the colony of Hippo,
in Africa, by the sea, there is a
navigable pond from which a broad
canal flows like a river. Here all
and sundry come to taste the joys
of fishing, of boating and of
bathing..."

PLINY THE YOUNGER
Letters, IX, 33

" In der Nähe der Kolonie Hippo,
in Afrika, am Rande des Meeres,
gibt es einen schiffbaren See, von
dem ein breiter Kanal, wie ein Fluss,
abgeht. Hier finden sich Menschen
allen Alters ein, um die Freuden des
Fischens, des Bootfahrens und des
Badens zu geniessen..."

PLINIUS DER JUNGERE
Briefe, IX, 33

119

der Harpune und der Reuse.
MUSEUM SOUSSE

BARQUES ET PECHEURS
Le goût très prononcé des anciens pour les coquillages faisait de la pêche une activité très importante fréquemment représentée.

BOATS AND FISHERMEN
Fishing scenes are frequently depicted, for the Ancients had a particular affinity for fish and shells.

BARKEN UND FISCHER
Die grosse Vorliebe unserer Vorfahren für Muscheln machte das Fischen zu einer sehr wichtigen und daher oft dargestellten Tätigkeit.

BIZERTE
Détail d'un paysage marin : pêcheurs et baigneurs dont l'un est avalé par un gros poisson. Scènes maladroites et pleines de naïveté.
MUSEE DU BARDO (1902).

BIZERTE
Detail of a coastal scene. There are fishermen and swimmers, one of whom is being swallowed by a fish. This is a rather clumsy and naïf mosaic.
BARDO MUSEUM (1902)

BIZERTE
Ausschnitt aus einer Küstenszene : Fischer und Badende, von denen einer von einem grossen Fisch verschlungen wird. Ein etwas ungeschicktes und sehr naives Mosaik.
BARDO-MUSEUM (1902)

SOUSSE
Dans une mer poissonneuse, voguent deux barques montées chacune par deux pêcheurs nus : l'un, assis à l'arrière tient les rames, l'autre, debout à la proue, pêche au harpon et aux nasses.
MUSEE DE SOUSSE

SOUSSE
Two boats, each manned by two naked fishermen, are moving across waters which are teeming with fish.
SOUSSE MUSEUM

SOUSSE
Auf einem fischreichen Meer schwimmen zwei Barken mit jeweils zwei nackten Fischern : Der hinten sitzende hält die Ruder, der andere, am Bug stehend, fischt mit der Harpune und der Reuse.
MUSEUM SOUSSE

FRUITS DE MER :
Poissons, coquillages et mollusques aux couleurs vives que l'eau rendait encore plus chatoyantes.

THE PRODUCE OF THE SEA :
Brightly coloured fishes, shells and shell-fish which were even brighter when fountain water played over them.

ERTRÄGE AUS DEM MEER
Fische, Muscheln und Weichtiere in kräftigen Farben, die, vom Wasser überspült, noch leuchtender wurden.

DOUGGA
L'éternel pêcheur à la ligne : assis coiffé du pétase, rivé à son hameçon, armé d'espoir et de patience.
MUSEE DU BARDO (1931)

DOUGGA
The fisherman of all time, he is sitting with his sun-hat, his eyes fixed on his bait, full of hope and patience.
BARDO MUSEUM (1931)

DOUGGA
Der Angler aller Zeiten : Mit seinem Sonnenhut sitzt er da, den Blick auf die Angel gerichtet, voller Hoffnung und Geduld.
BARDO-MUSEUM (1931)

DOUGGA
Autre détail de scène marine : pêcheur nu poussant sa barque dans l'eau.
MUSEE DU BARDO (1931)

DOUGGA
Another detail from a marine scene : a fisherman is pushing his boat out into the water.
BARDO MUSEUM (1931)

DOUGGA
Ein weiterer Ausschnitt aus einer Fischerszene : Nackter Fischer, der seine Barke ins Merr schiebt. BARDO-MUSEUM (1931).

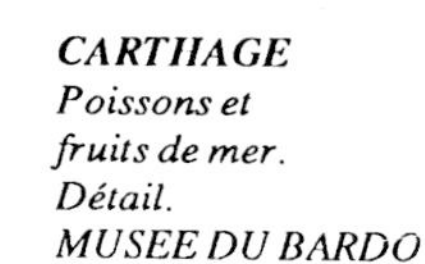

CARTHAGE
Poissons et fruits de mer. Détail.
MUSEE DU BARDO

CARTHAGE
Fish and sea-food. Detail.
BARDO MUSEUM

KARTHAGO
Fische und Meeresfrüchte. Ausschnitt.
BARDO MUSEUM

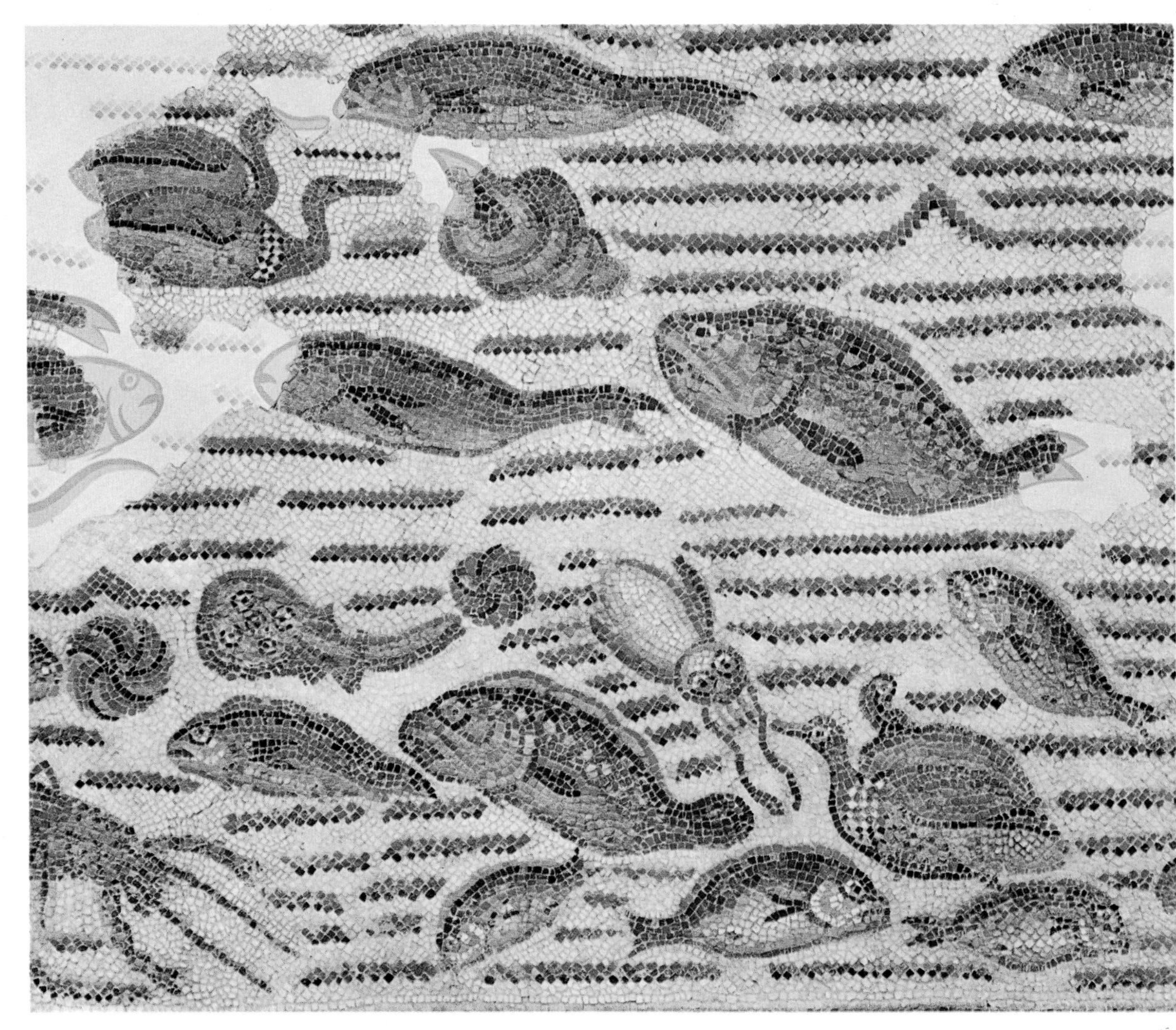

BULLA REGIA
Détail.
Amour chevauchant un dauphin emportant un coffret de bijoux à Vénus.
SUR PLACE.

BULLA REGIA
(Detail)
Love riding a dolphin carrying a jewel-case to Venus.
Lefton the scene

BULLA REGIA
Ausschnitt. Amor, auf einem Delphin reitend, bringt Venus ein Schmuckkästchen. Am Fundort.

SOUSSE
Beau voilier de commerce voguant sur une mer calme. Le commerce maritime très intense entre les diverses provinces de l'empire avait transformé la Méditerranée en lac constamment sillonnée à la belle saison par des navires tels que celui-ci.
MUSEE DE SOUSSE

SOUSSE
A fine merchantship sails on a calm sea. Maritime trade was extremely intense between the various provinces of the empire and had transformed the Mediterranean into a lake which, during the good sailing months, would be criss-crossed by ships such as this one.
SOUSSE MUSEUM

SOUSSE
Schönes Segelschiff auf ruhigem Meer. Der sehr intensive Seehandel zwischen den verschiedenen Provinzen des Weltreiches machte das Mittelmeer zu einem Meer, auf dem in der vom Wetter her günstigen Jahreszeit ständig Schiffe wie dieses hier zu sehen waren.
MUSEUM SOUSSE

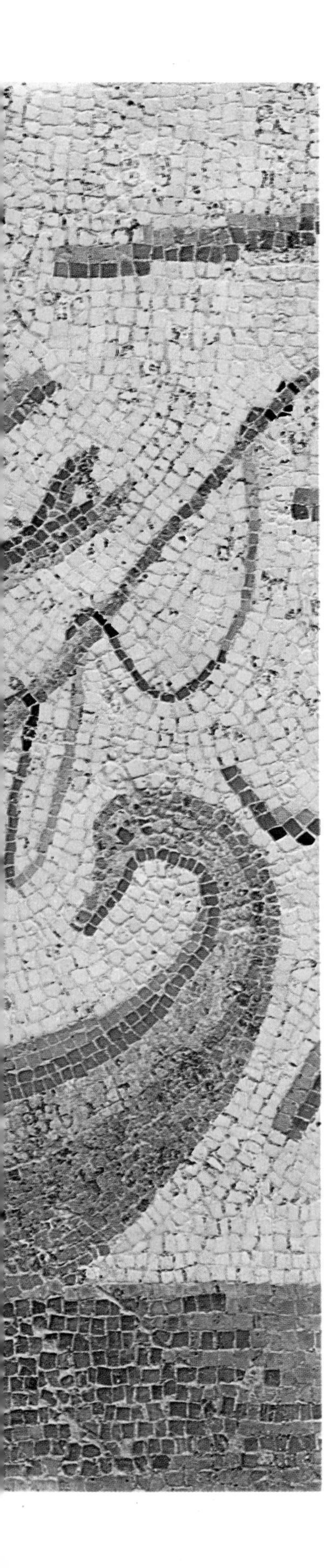

DOUGGA
Détail de la mosaïque précédente (124) : pêcheur s'apprêtant à jeter l'ancre.
MUSEE DU BARDO (1931).

DOUGGA
Detail from a mosaic which has already been illustrated on p. 124 It shows a fisherman who is about to cast anchor.
BARDO MUSEUM (1931)

DOUGGA
Ausschnitt aus dem vorhergehenden Mosaik (124) : Ein Fischer, der sich daran macht, den Anker zu werfen.
BARDO-MUSEUM (1931).

THUBURBO MAJUS
Détail d'un pavement de forme trilobée illustré de scènes marines dont est extraite celle-ci : dans une mer poissonneuse, deux pêcheurs ramènent sur leur barque un filet de poissons.
MUSEE DU BARDO (1935).

THUBURBO MAJUS
Detail from a trefoil pavement which depicts marine scenes of which this is one. Two fishermen are standing in their boat and are hauling in their net full of fish.
BARDO MUSEUM (1935)

THUBURBO MAJUS
Ausschnitt aus einem dreiteiligen Bodenmosaik mit Fischereiszenen, von denen diese hier eine ist : Auf einem fischreichen Meer ziehen die Fischer ein volles Netz ein.
BARDO-MUSEUM (1935)

SOUSSE
Sur un sol mosaïqué, un couffin en sparterie d'où s'échappent divers poissons. L'image évoque l'abondance généreuse de la mer nourricière.
MUSEE DE SOUSSE

SOUSSE
Against the background of a geometric mosaic, a rush basket is depicted tipped on its side and pouring out fish across the floor - a cornucopia of the abundant produce of the sea.
SOUSSE MUSEUM

SOUSSE
Auf einem Mosaikboden ein geflochtener Korb, aus dem verschiedene Fische springen. Das Bild zeigt den Überfluss an Fischen, die das Meer dem Menschen liefert.
MUSEUM SOUSSE

SOUSSE
Sur une mer remplie de poissons, quatre barques montées chacune par deux pêcheurs qui, tirant un filet, qui tirant une ligne, qui posant des nasses, qui lançant un épervier.
MUSEE DE SOUSSE

SOUSSE
Four boats, each with two fishermen, move across waters which are teeming with fish. Their occupants are hauling in their nets, fishing with rod and line, laying lobster pots or preparing to loosen a falcon.
SOUSSE MUSEUM

SOUSSE
Auf einem an Fischen reichen Meer vier Barken mit jeweils zwei Fischern, die eine Angel halten. bzw. eine Reuse oder ein Wurfnetz auswerfen.
MUSEUM SOUSSE

DOUGGA
Pêcheur harponnant un poulpe avec son trident. Détail appartenant à la mosaïque 116.
MUSEE DU BARDO

DOUGGA
Fisherman harpooning an octopus with his spear. Detail from mosaic 116.
BARDO MUSEUM

DOUGGA
Ein Fischer spiesst einen Tintenfisch mit seinem Dreizack auf. Ausschnitt aus dem Mosaik 116.
BARDO-MUSEUM

THUBURBO MAJUS
Détail.
Le vieil homme et la mer.
MUSEE DU BARDO
(1925)

THUBURBO MAJUS
Detail. The old man and the sea.
BARDO MUSEUM
(1925)

THUBURBO-MAJUS
Ausschnitt. Der alte Mann und das Meer. BARDO-MUSEUM (1925)

LE POÈTE VIRGILE
A sa gauche, Clio la muse de l'histoire ;
à sa droite, Melpomène la muse
de la tragédie.
Sousse
Musée du Bardo

THE POET VIRGIL
To his right, Clio, the Muse of history ;
to his left, Melpomene the Muse
of tragedy.
Sousse
Bardo Museum

IV

SPORTS ET SPECTACLES
SPORT AND SPECTACLE
SPORT UND VORFÜHRUNGEN

" Dès qu'il vit ce sang, il se mit à boire la férocité à longs traits. Loin de s'en détourner, il fixa ses regards sur le spectacle, devenant furieux sans même s'en apercevoir, se passionnant pour ces luttes criminelles et s'énivrant de voluptés sanglantes ".

SAINT AUGUSTIN
Les Confessions, IV, 8

" As soon as he saw the blood, he began to absorb ferocity in long draughts. Far from turning away from it, he rather fixed his gaze on the spectacle and, without realising it, he became frenzied, passionately interested in these criminal bouts while the bloody sensuality went to his head ".

SAINT AUGUSTINE
Confessions, IV, 8

" Sobald er dieses Blut sah, begann er, die Gier in vollen Zügen zu trinken. Weit davon entfernt, sich abzuwenden, richtete er seine Blicke auf diese Vorführung und wurde, ohne es zu merken, wahnsinnig und begeisterte sich immer mehr für diese kriminellen Kämpfe, deren blutige Wollust ihm zu Kopfe stieg ".

SANKT AUGUSTINUS
Bekenntnisse IV. 8

GAFSA
Détail d'une grande mosaïque dont on verra le reste plus loin (p. 140). Ici, est représentée l'arène de l'amphithéâtre : deux conducteurs de quadriges (char attelé de quatre chevaux) fouettent leur attelage pour gagner la course qui consiste à faire sept fois le tour de l'arène sans heurt ni "naufrage". La palme est la récompense du vainqueur.
MUSEE DU BARDO (1888).

GAFSA
Detail of a large scene, the remainder of which will be illustrated further on (140).
Here we have the arena of an amphitheatre : two quadriga drivers (chariots drawn by four horses) are whipping up their horses in their attempt to win the race which consists of seven laps round the arena without crashing or "capsizing". The palm branch is the victor's prize.
BARDO MUSEUM (188)

GAFSA
Ausschnitt aus einem grossen Mosaik, dessen restlichen Teil wir später sehen werden (140).
Hier die Arena eines Amphitheaters : zwei Quadriga-Fahrer (von vier Pferden gezogener Wagen) peitschen ihre Pferde, um den Wettlauf zu gewinnen, der darin besteht, sieben Mal die Arena zu umkreisen, ohne "Schiffbruch" zu erleiden. Der Palmenzweig ist der Preis für den Sieger.
BARDO-MUSEUM (1888)

GIGHTIS
(Bou Ghrara)
Deux lutteurs nus, aux prises. Ce panneau décorait une salle de thermes publics où se déroulaient souvent des exhibitions sportives.
MUSEE DU BARDO (1903)

GIGHTIS
(Bou Ghrara)
Two naked wrestlers are grappling together. This panel decorated a room in the public baths where sports events often took place.
BARDO MUSEUM (1903)

GIGHTIS (Bou Ghrara)
Zwei nackte Ringer beim Kampf. Dieses Mosaik schmückte einen Raum eines öffentlichen Bades ; hier fanden oft Sportveranstaltungen statt.
BARDO-MUSEUM (1903)

EL JEM
Détail d'une série de cinq poissons entourés de cinq couronnes. Il s'agit là de l'emblème de la toute puissante corporation de "Pentasii" constituée essentiellement d'armateurs et de marchands ainsi que d'organisateurs de jeux publics.
MUSEE D'EL JEM

EL JEM
Detail of a set five fish encircled by five crowns. This is the emblem of the mighty corporation of the Pentasii who were mainly ship-owners and merchants as well as being the organisers of public games.
EL JEM MUSEUM

EL JEM
Ausschnitt aus einer Reihe von fünf Fischen, von fünf Kränzen umgeben. Es handelt sich um das Zeichen der mächtigen Körperschaft der "Pentasii", der grösstenteils Schiffseigentümer und Händler sowie Veranstalter öffentlicher Spiele angehörten.
MUSEUM EL JEM

GAFSA
Second volet de la scène 136 - 137 : les spectateurs entassés sur les gradins, sous les arcades du cirque.
MUSEE DU BARDO

GAFSA
The second part of the scene illustrated on pages 136 - 137. The spectators are crowded together on the tiers all around the arena.
BARDO MUSEUM

GAFSA
Der zweite Teil der Szene 136 - 137 : Die Zuschauer drängen sich auf den Rängen unter den Arkaden, die um die Zirkusarena herumführen. BARDO-MUSEUM

CARTHAGE
Quatre chars symbolisant les quatre factions du cirque - les bleus, les verts, les blancs et les rouges - courent dans l'arène divisée par la spina, muret autour duquel se déroulent les compétitions.
MUSEE DU BARDO (1915)

CARTHAGE
Four chariots symbolise the four factions in the circus: the Blues, the Greens the Whites and the Reds. They are racing around the arena which is divided by the spina - a walled platform round where the races take place.
BARDO MUSEUM (1915).

KARTHAGO
Vier Wagen als Symbol für die vier Mannschaften im Zirkus - die Blauen, die Grünen, die Weissen und die Roten - jagen um die Arena. In der Mitte die "Spina", die Trennwand, um die herum die Wettkämpfe stattfinden.
BARDO-MUSEUM (1915)

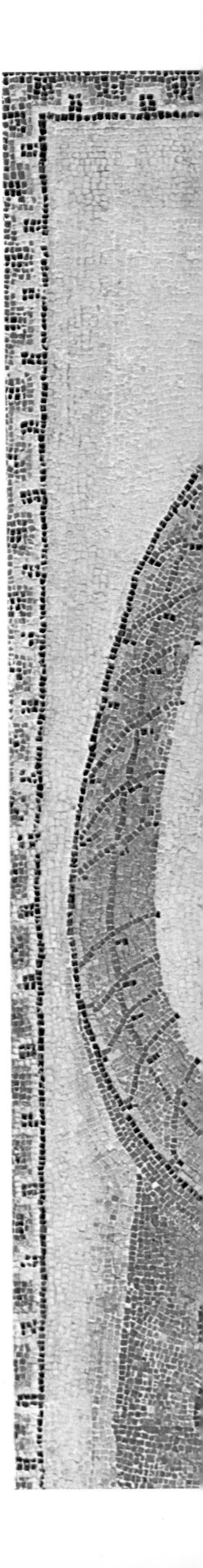

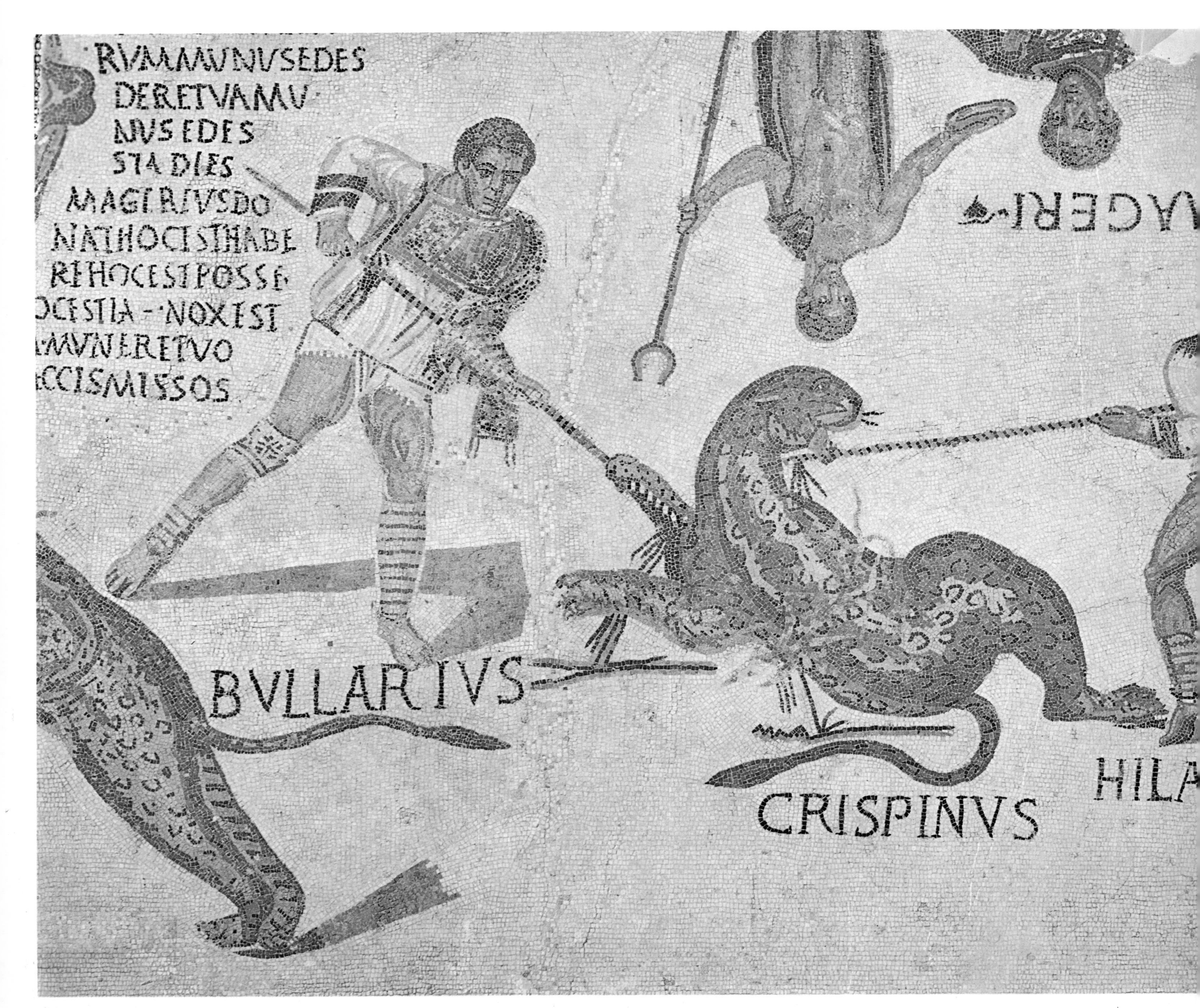
RVMMVNVSEDES
DERETVAMV
NVSEDES
STADIES
MAGERIVSDO
NATHOCESTHABE
REHOCESTPOSSE
OCESTIA-NOXEST
MVNERETVO
CCISMISSOS
BVLLARIVS
CRISPINVS
HILA

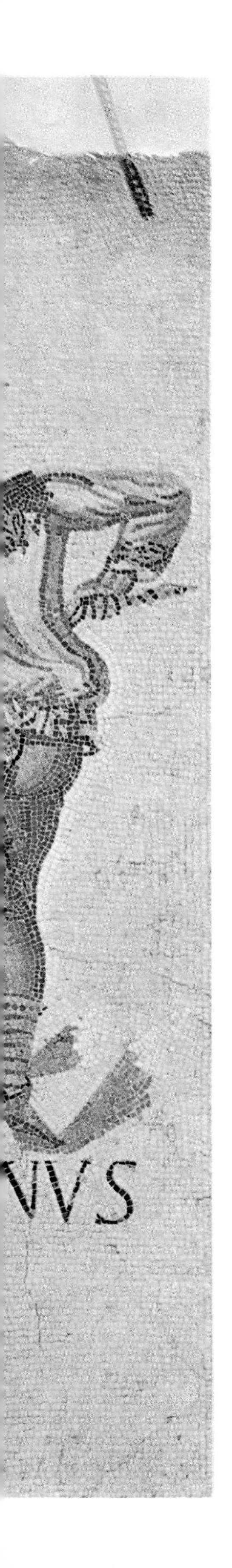

SMIRAT (Sahel)
Scène d'amphithéâtre. Détail de combats de bestiaires avec des fauves. Ici, un léopard est blessé à mort par deux bestiaires dont les noms sont reproduits en toutes lettres. Le complément de la scène se trouve à la page 146.
MUSEE DE SOUSSE
4,20 x 2,20

SMIRAT (Sahel)
Amphitheatre scene showing gladiatorial combats with wild animals. In this detail, a leopard is speared to death by two gladiators whose names are spelt out for us. The scene is illustrated remainder of this scene, on page 146.
SOUSSE MUSEUM

SMIRAT (Sahel)
Amphitheaterszene. Ausschnitt. Gladiatoren kämpfen mit Raubtieren. Hier ein tödlich verletzter Leopard. Die Namen der beiden Gladiatoren sind voll ausgeschrieben. Der Rest der Szene ist auf Seite 146 dargestellt.
MUSEUM SOUSSE - 4,20 x 2,20.

THUBURBO MAJUS
Pugilistes combattant. Le meneur du "round" parade les poings tendus en avant.
MUSEE DU BARDO (1918)

THUBURBO MAJUS
A pugilistic encounter. The winner of the round is parading up and down and saluting with his raised fists.
BARDO MUSEUM (1918)
SOUSSE MUSEUM

THUBURBO MAJUS
Faustkämpfer. Der Sieger der "Runde" streckt stolz seine Fäuste aus.
BARDO-MUSEUM (1918).

SOUSSE
Détail : un palefrenier entraîne "Cupido", coursier portant la palme sur le front. Quatre grandes factions rivales se disputaient les faveurs du public : les bleus, les verts, les rouges et les blancs auxquels appartient Cupido, (cf le harnachement).
MUSEE DE SOUSSE

SOUSSE
Detail showing a stable lad who is exercising "Cupido" - a race horse with a palm frond on its head. Cupido's harness indicates that he belonged to the Whites, one of the four circus factions (the others being the Blues, the Greens and the Reds) which disputed the favours of the spectators.
SOUSSE MUSEUM

SOUSSE
Ausschnitt. Ein Stallknecht trainiert "Cupido", ein Rennpferd, das einen Palmenzweig auf der Stirn trägt. Vier grosse, rivalisierende Mannschaften stritten um die Gunst der Zuschauer : die Blauen, die Grünen, die Roten und die Weissen ; zu den letzteren gehört Cupido, wie man an seinem Zaumzeug erkennen kann.
MUSEUM SOUSSE.

THELEPTE
Scène d'amphithéâtre. Détail : un bestiaire cuirassé, transperce d'un solide épieu un lion dressé sur ses pattes. L'arène où se déroule le spectacle est entourée d'une enceinte percée de portes entr'ouvertes derrière lesquelles se tiennent d'autres gladiateurs prêts à intervenir.
MUSEE DU BARDO

THELEPTA
Detail of an amphitheatre scene. A gladiator wearing a breastplate plunges a stake into a lion which is rearing up on its hing-legs. The fight takes place in an arena round which there are half-open doors behind which are other gladiators who are ready to intervene.
BARDO MUSEUM

THELEPTE
Amphitheaterszene. Ausschnitt. Ein geharnischter Gladiator durchbohrt mit einem Spiess einen Löwen, der sich auf die Hinterpfoten stützt. Die Arena, in der der Kampf stattfindet, ist von einer Mauer umgeben, mit halb geöffneten Toren, hinter denen sich weitere Gladiatoren bereithalten, gegebenenfalls einzugreifen. BARDO-MUSEUM

FAVORISDONA
TEEISDENARIOS
QVINGENTOS
SPITTARA
VIC

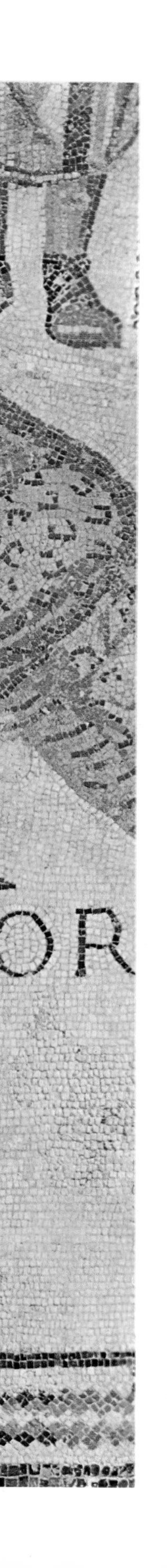

SMIRAT
(Suite de la mosaïque page 142).
Un autre bestiaire affronte un autre fauve. Ces jeux dangereux et cruels, très appréciés du public, étaient organisés par des corporations professionnelles et des sommes importantes récompensaient les héros victorieux.
MUSEE DE SOUSSE

SMIRAT
This is the other half of the mosaic illustrated on page 142, with another gladiator fighting another wild beast. These dangerous and cruel games were very much appreciated by the public and were organised by professional corporations. The victorious heroes stood to win substantial prizes.
SOUSSE MUSEUM

SMIRAT
(Zweite Hälfte des Mosaiks S. 142) Wieder ein Gladiator, der ein anderes Raubtier angreift. Diese gefährlichen und grausamen Spiele, beim Publikum sehr beliebt, wurden von professionellen Körperschaften organisiert, und grosse Summen erwarteten die siegreichen Helden.
MUSEUM SOUSSE

BOU ARGOUB
Outre les palmes et les couronnes de la victoire, ce sont les bourses contenant de fortes sommes qui récompensent les vainqueurs des jeux du cirque ou d'amphithéâtre. Les voici réunis.
MUSEE DU BARDO (1909)

BOU ARGOUG
Palm branches and crowns were not the only prizes for victory. Here we see them together with the fat bags of money which were the main prize for those who won circus or amphitheatre games.
BARDO MUSEUM (1909)

BOU ARGOUB
Neben den Palmenzweigen und Siegeskränzen gab es als Preis für die Sieger der Zirkus - und Amphitheaterspiele Geldbeutel mit beachtlichen Summen. Hier sehen wir die verschiedenen Preise.
BARDO MUSEUM (1909).

THUBURBO MAJUS
Le labyrinthe et le Minotaure.
Le saisissant par une corne, Thésée s'apprête à tuer le monstre à tête de taureau avec un bâton recourbé.
MUSEE DU BARDO
(1918)

THUBURBO MAJUS
The labyrinth and the Minotaur. Theseus seizes one of the bull-headed monster's horns and prepares to deal the death blow with a curved weapon
BARDO MUSEUM
(1918)

THUBURBO MAJUS
Das Labyrinth und der Minotaurus. Theseus packt ihn bei den Hörnern und macht sich daran, das Monstrum mit dem Stierkopf mit einem harten, gebogenen Stock zu bezwingen.
BARDO-MUSEUM
(1918).

THYNA
Athlètes aux prises.
Deux phases du combat.
Au dessus, sur une table, sont posées une palme et les couronnes destinées aux vainqueurs.
MUSEE DE SFAX

THYNA
This mosaic shows two phases in a wrestling match. A palm branch and crowns are displayed on a table above, as prizes for the winners.
SFAX MUSEUM

THYNA
Athleten beim Kampf.
Dieses Mosaik zeigt zwei Phasen des Kampfes der Athleten. Oben, auf einem Tisch, liegen ein Palmenzweig und die Kränze für die Sieger.
MUSEUM SFAX

NOCES DE NEPTUNE
ET AMYMONÉ
Sidi Ghrib
Musée de Carthage (détail)

THE NUPTIALS OF NEPTUNE
AND AMYMONE
Sidi Ghrib
Carthage Museum (detail)

V

MYTHOLOGIE ET RELIGION
MYTHOLOGY AND RELIGION
MYTHOLOGIE UND RELIGION

" Mais voici Vénus qui s'avance sur la scène, aux applaudissements de la foule, souriant doucement au milieu des joyeux enfants qui l'accompagnent, et ces êtres aux chairs potelées, de la blancheur du lait, on les eût pris pour de vrais Cupidons venant de s'envoler..."

APULÉE DE MADAURE
L'Ane d'Or, X, 32

" But Venus now advances upon the stage amid public acclaim ; she smiles gently, surrounded by happy children who are accompanying her and whose chubbiness and milk-white skin cause them to ressemble real Cupids who have just taken wing..."

APULEIUS OF MADAUROS
The Golden Ass, X, 32

" Hier aber kommt Venus auf die Bühne, unter dem Applaus der Menge, sanft lächelnd inmitten der fröhlichen Kinder, die sie begleiten ; und diese pausbäckigen Wesen mit einer Haut wie Milch, man könnte sie für wahre Kupidos halten, die gerade angeflogen kamen..."

APULEIUS VON MADAUROS
Der Goldene Esel, X, 32

DOUGGA
Episode de l' Odyssée : Dionysos châtiant les pirates de la mer tyrrhénienne transformés en dauphins. Au centre, le dieu brandit sa lance vers les pirates qui se jettent à la mer. Le buste de l' un est déjà transformé en dauphin tandis que ses jambes encore humaines, sont attaquées par un léopard.
MUSEE DU BARDO

DOUGGA
Scene from the Odyssey : Dionysos punishes the pirates of the Tyrrhenian sea and transforms them into dolphins. In the centre is the god, brandishing a spear at the pirates who are hurling themselves into the sea. The upper part of the body of one of them has already been turned into a dolphin and his legs, which are still human, are being attacked by a leopard.
BARDO MUSEUM

DOUGGA
Episode aus der Odyssee: Dionysos straft die Piraten des Tyrrhenischen Meeres, indem er sie in Delphine verwandelt. In der Mitte richtet der Gott seine Lanze auf die Piraten, die sich ins Meer stürzen. Der Oberkörper des einen ist schon in einen Delphin verwandelt, während die noch menschlichen Beine von eineem Leoparden angegriffen werden.
BARDO-MUSEUM

THUBURBO MAJUS
Bacchus et Ariane : sous une treille de vigne, les deux héros sont allongés, dos à dos.
MUSEE DU BARDO

THUBURBO MAJUS
Bacchus and Ariane lie back to back under a vine trellis.
BARDO MUSEUM

THUBURBO MAJUS
Bacchus und Ariadne liegen Rücken an Rücken unter einer Weinlaube.
BARDO-MUSEUM

SOUSSE
Triomphe de Bacchus. Sur un char tiré par quatre tigresses, le jeune dieu richement vêtu et portant le diadème couvert de pampres et de raisins apparaît triomphant. Tout son cortège l'accompagne.
MUSEE DU BARDO

SOUSSE
The triumph of Bacchus. The young god stands in a chariot which is drawn by four tigers. He is richly dressed and wears a crown of vine leaves and grapes. He is accompanied by a whole procession of his customary attendants.
BARDO MUSEUM

SOUSSE
Triumph des Bacchus. Der junge Gott steht auf einem Wagen, der von vier Tigerinnen gezogen wird. Er ist reich gekleidet und trägt ein Diadem mit Weinranken und Weintrauben. Sein ganzes Gefolge begleitet ihn.
BARDO-MUSEUM

BULLA REGIA
Triomphe de Vénus. Détail. Parée seulement d'un collier et de bracelets, la tête nimbée, le port altier, la déesse apparaît dans toute sa majesté. Un jeune triton portant au front des pinces et des antennes de homard est à ses côtés. SUR PLACE

BULLA REGIA
Triumph of Venus. (Detail)
Only attired with a necklace and a few bracelets, with a haloed head and a lofty bearing, the goddess appears in all her majesty. A young newt bearing at its forefront the claws and feelers of a lobster stands beside her. Undisplaced.

BULLA REGIA
Triumph der Venus. Ausschnitt. Nur mit einer Halskette und Armreifen geschmückt, von einem Heiligenschein umgeben und erhobenen Hauptes zeigt sich die Göttin in ihrer ganzen Majestät. Ihr zur Seite ein junger Triton mit Krebsscheren und Hummernfühlern auf dem Kopf.
Am Fundort.

UTIQUE
Détail d'une grande composition représentant le triomphe de Neptune et d'Amphitrite. Ici, allongée sur une barque, Vénus drapée dans un voile, porte le diadème. Un amour lui présente un coffret de bijoux : deux oiseaux descendent lui offrir un collier. Au-dessus, nuées d'amours chevauchant des oiseaux.
MUSEE DU BARDO
(1924)

UTIQUE
Detail from a large mosaic depicting the triumph of Neptune and Amphitrite.
Here, Venus lies in a boat. She is draped in a veil and wears a diadem.
A Cupid stands holding an open jewel box and two birds descend with a necklace.
Above and all around there are clouds of cherubs riding on birds.
BARDO MUSEUM
(1924)

UTIQUE
Ausschnitt aus einem grossen Mosaik, das den Triumph des Bacchus darstellt. Hier ist Venus zu sehen, auf einer Bank ausgestreckt, in einen Schleier gehüllt und ein Diadem tragend. Ein Amor überbringt ihr ein Schmuckkästchen. Zwei Vögel fliegen ihr mit einer Halskette entgegen. Oben und um sie herum ein Schwarm von Amors, die auf Vögeln reiten.
BARDO-MUSEUM
(1924)

ACHOLLA
Détail de la bordure du triomphe de Bacchus. Ici, Néréide tenant un miroir et chevauchant un centaure marin portant lui-même un plateau d'offrandes. MUSEE DU BARDO

ACHOLLA
Part of the border of a mosaic which represents the triumph of Bacchus. Here, a Nereid holds a mirror and rides on a marine centaur who is carrying a tray of offerings. BARDO MUSEUM

ACHOLLA
Ausschnitt aus einer Mosaikumrandung, die den Triumph des Bacchus darstellt. Hier Nereide mit einem Spiegel in der Hand, auf einem Meerkentaur reitend, der seinerseits eine Schale mit Gaben trägt. BARDO MUSEUM.

EL JEM
Toilette de Vénus. Emergeant nue des flots, la déesse tord sa chevelure assistée par deux amours qui lui tendent des accessoires de toilette (miroir et bandelettes). MUSEE DE SOUSSE

EL JEM
Venus is stepping out of the water and is wringing out her wet hair. Two attendant cherubs hold for her the things she will be needing, such as a mirror and hair bands. SOUSSE MUSEUM

EL JEM
Venus steigt nackt aus den Wellen und wringt ihre nassen Haare aus. Zwei Amora helfen ihr und reichen ihr verschiedene Toilettenartikel (Spiegel und Haarbänder). MUSEUM SOUSSE;

BULLA REGIA
Buste de femme.
Couronnée de lauriers, elle est vêtue d'une tunique laissant à découvert les bras.
Les yeux étaient probablement animés avec de la pâte de verre disparue depuis.
Il s'agit probablement du portrait de la maîtresse de la maison où ce tableau a été découvert.
EN PLACE, SUR LE SITE

BULLA REGIA
The bust of a woman. This is probably the portrait of the mistress of the house where this mosaic was found and she is shown crowned with a laurel wreath and wearing a robe which leaves both arms bare. Her eyes were probably made of glass paste which has since disappeared.
IN SITU ON THE SITE

BULLA REGIA
Frauenbüste. Die Frau ist mit einem Lorbeerkranz geschmückt und trägt eine Tunika, die die Arme unbedeckt lässt. Die Augen waren wahrscheinlich aus Glaspaste, die verschwunden ist. Es handelt sich vermutlich um das Porträt der Herrin des Hauses, in dem dieses Mosaik gefunden wurde.
Am Fundort.

ELLES
(Site de la région du Kef)
Triomphe de Vénus.
Encadrée par deux centaures tenant une guirlande, la déesse est près d'être couronnée.
MUSEE DU BARDO

ELLES (a site near Le Kef)
The triumph of Venus. The goddess stands between two female centauresses who hold a garland and are about to crown her.
BARDO MUSEUM

ELLES (Ort in der Gegend von Le Kef)
Triumph der Venus. Die Göttin, von zwei Kentauren umgeben, die eine Girlande halten, ist bereit, gekrönt zu werden.
BARDO MUSEUM

POLYSTEFANVS RATIONISEST ARCHEVS

EL JEM
Mosaïque des Muses. Identifiable par leurs attributs respectifs (masque, lyre, etc...) chacune des neuf muses est représentée en buste dans un médaillon ayant la forme de couronne de lauriers.
MUSEE DU BARDO

EL JEM
A mosaic with the Nine Muses who are identifiable thanks to their attributes (mask, lyre, etc...).
Only the bust of each Muse is shown, in the middle of a laurel-wreath medallion.
BARDO MUSEUM

EL JEM
Mosaik mit den neun Musen, die jeweils an einem bestimmten Merkmal zu erkennen sind (Maske, Leier usw.). Die Büste jeder Muse ist in einem Medaillon dargestellt, das die Form eines Lorbeerkranzes hat.
BARDO-MUSEUM

CHEBBA
Triomphe de Neptune : Au centre, dans un médaillon, le dieu nimbé apparaît dans toute sa majesté sur un quadrige attelé d'hippocampes conduits par un triton et une néréide. Aux angles du tableau, les quatre saisons chacune figurée avec ses attributs.
(Voir détail à la page 64)
MUSEE DU BARDO
(1902) 4,85 x 4,90

LA CHEBBA
The triumph of Neptune. The god sits in majesty in the central medallion he has a halo round his : head and rides in a chariot drawn by sea-horses and accompanied by a Triton and a Nereid. The Four Seasons are shown with their attributes in the four corners of the mosaic (see the detail on page 64).
BARDO MUSEUM
(1902)

LA CHEBBA
Triumph des Neptun : Im Mittelpunkt, in einem Medaillon, erscheint der Gott mit dem Heiligenschein in seiner ganzen Majestät, auf einer Quadriga stehend, die von Seepferden gezogen und von einem Triton und einer Nereide geführt wird. An den Ecken des Mosaiks die vier Jahreszeiten, jede mit ihren Merkmalen dargestellt. (Siehe Ausschnitt auf Seite 64)
BARDO-MUSEUM
(1902) 4,85 x 4,90

DOUGGA
Ulysse et les sirènes. Episode de l'Odyssée. Sur un navire à voiles et à rames, Ulysse est attaché au grand mât, entouré de quatre hommes armés de boucliers.
A droite, trois sirènes, monstres mi-femmes, mi-oiseaux.
MUSEE DU BARDO
(1942)

DOUGGA
Scene from the Odyssey Ulysses and the Sirens : Ulysses is shown tied to the main mast of his ship, which is propelled by oars and by sails. He is surrounded by four men carrying shields. To the right are the Sirens - monsters who are half women and half birds.
BARDO MUSEUM
(1942)

DOUGGA
Odysseus und die Sirenen. Episode aus der Odyssee. Auf einem Schiff mit Segeln und Rudern ist Odysseus an den Hauptmast gefesselt, umgeben von vier mit Schildern bewaffneten Männern. Rechts drei Sirenen, Wesen, die halb Frau und halb Vogel sind.
BARDO-MUSEUM
(1942)

RADES
(Banlieue de Tunis)
Détail d'une grande mosaïque représentant un triomphe de Neptune.
MUSEE DU BARDO
(1938)

RADES
(on the outskirts of Tunis)
Detail from a large mosaic depicting the triumph of Neptune
BARDO MUSEUM
(1938)

RADES
(Vorort von Tunis)
Ausschnitt aus einem grossen Mosaik, das den Triumph des Neptun darstellt.
BARDO-MUSEUM
(1938)

CARTHAGE
Détail d'une très grande mosaïque marine semi-circulaire ayant plus de 15 m, de diamètre. Ici, au milieu d'une mer peuplée de poissons, de mollusques et de monstres, une jeune femme voguant sur un dauphin en tenant une guirlande.
MUSEE DU BARDO
(1927)

CARTHAGE
Detail from a very large, semicircular marine mosaic which was more than 15 meters in diameter. The sea is depicted teeming with fish, shell-fish and monsters and this detail shows a young woman.
BARDO MUSEUM
(1927)

KARTHAGO
Ausschnitt aus einem sehr grossen, halbkreisförmigen Meeresmosaik, das einen Durchmesser von mehr als 15 m hat. Hier eine junge Frau, die auf einem Delphin sitzt und eine Girlande hält, mitten auf dem Meer, das voller Fische, Weichtiere und Phantasiewesen ist.
BARDO-MUSEUM
(1927).

UZITTA
Plumes de paon disposées selon une trame géométrique.
MUSEE DE SOUSSE

UZITTA
Peacock feathers arranged to form a geometric pattern.
SOUSSE MUSEUM

UZITTA
Federn von einem Pfau, zu einem geometrischen Muster angeordnet.
MUSEUM SOUSSE

REGION DE BEJA
Tableau d'époque tardive illustrant l'éducation du jeune Achille par le centaure Chiron. En haut, à droite, un cerf atteint, s'enfuit ; en bas, une chimère crache du feu.
MUSEE DU BARDO (1960)

BEJA REGION
A late mosaic depicting young Achilles' education at the hands of the centaur Chiron. Above, right, a wounded stag makes its, escape, while below, a Chimera spits fire.
BARDO MUSEUM (1960)

IN DER GEGEND VON BEJA
Mosaik aus einer späten Epoche, das zum Thema die Erziehung des jungen Achilles durch den Kentaur Chiron hat. Oben rechts flieht ein verwundeter Hirsch. Unten eine feuerspeiende Chimära.
BARDO-MUSEUM (1960)

CARTHAGE
Scène de sacrifice champêtre.
Alignés pour la cérémonie devant une baie de cyprès, les chasseurs ont déposé une grue en offrande devant le petit temple de Diane et Apollon, divinités protectrices.
MUSEE DU BARDO (1897)

CARTHAGE
A scene of rural sacrifice. The hunstmen are lined up for the ceremony before a row of cypress-trees ; as an offering, they have laid a dead crane before the shrine of Diana and Apollo, their protecting deities.
BARDO MUSEUM (1897)

KARTHAGO
Ländliche Opferszene.
Für diese Zeremonie haben sich die Jäger in einer Reihe vor einer Zypressenhecke aufgestellt und einen toten Kranich als Opfergabe vor den kleinen Tempel von Diana und Apollo, den Schutzgöttern, gelegt.
BARDO-MUSEUM (1897)

RADES
Suite de la même mosaïque précédemment décrite (p. 166).
A un autre angle, sous le regard d'une autre figure de vent, une néréide chevauchant un monstre marin à tête de chimère.
MUSEE DU BARDO

RADES
Part of the mosaic described on page 166. In another corner, yet another Wind watches a Nereid riding a Chimera-headed monster.
BARDO-MUSEUM

RADES
Teil des zuvor beschriebenen Mosaiks (166). In einer anderen Ecke beobachtet eine Windgestalt eine Nereide, die auf einem Meeres monstrum mit dem Kopf einer Chimära reitet.
BARDO-MUSEUM

REGION DE SOUSSE
Tête de Méduse. Au milieu d'un pavement couvert d'écailles rayonnantes évoquant l'égide, l'invincible cuirasse d'Athéna, une tête de Méduse. Surmontée de petites ailes, entourée d'une abondante chevelure d'où sifflent des serpents, son regard pétrifiait quiconque osait la fixer.
MUSEE DE SOUSSE

SOUSSE REGION
Medusa head. The pavement design consists of radiating scales in the middle of which is a Medusa head ; we are reminded of the Aegis, Athene's invisible shield. Two little wings spring from Medusa's forehead and her face is surrounded by thick hair from which rise hissing snakes. Those who looked at her were turned to stone.
SOUSSE MUSEUM

IN DER GEGEND VON SOUSSE
Haupt der Medusa, umgeben von lauter glänzenden Schuppen. Das erinnert an die Ägide, das unbesiegbare Schild der Athene. Zwei kleine Flügel spriessen aus ihrer Stirn, aus ihrem üppigen Haarschopf zischen Schlangen ; und ihr Blick würde den, der es wagen sollte, sie anzublicken, versteinern.
MUSEUM SOUSSE

OUDNA
Séléné et Endymion.
La déesse de la lune, amoureuse du berger, contemple Endymion endormi sur un rocher.
MUSEE DU BARDO
(1893) - 0,75 x 0,75

OUDNA
Selene and Endymion.
Selene stands watching the sleeping shepherd Endymion, with whom she has fallen in love.
BARDO MUSEUM
(1893) 0,75 x 0,75

OUDNA
Selene und Endymion.
Die Mondgöttin betrachtet den auf einem Felsen schlafenden Schäfer Endymion, in den sie sich verliebt hat.
BARDO-MUSEUM
(1893) 0,75 x 0,75

EL JEM
Tableau semi-circulaire ayant pavé une abside. Composition géométrique de triangles croissant vers la périphérie à travers un réseau de courbes se recoupant.
MUSEE D'EL JEM

EL JEM
A semicircular painting which had been used as flooring for an apse. A geometric composition made of triangles rising towards the periphery across a net of intersecting curves
EL JEM MUSEUM

EL JEM
Halbkreisförmiges Bodenmosaik einer Apsis. Eine geometrische Komposition mit nach aussen grösser werdenden Dreiecken, auf einem Netz von sich durchschneidenden Kurven.
MUSEUM EL JEM

EL JEM
Apollon sauroctone (au gecko)
Au milieu des bêtes d'amphithéâtre déchaînées, Apollon, nimbé, tient un gecko - espèce de petite lézard - dont la signification est prophylactique - attaché à la patte par un fil.
MUSEE DU BARDO (1927)

EL JEM
Apollo Sauroktonos (with a gecko). The gecko was a prophylactic and Apollo holds this little lizard by a string attached to one leg ; he stands surrounded by amphitheatre animals.
BARDO MUSEUM (1927)

EL JEM
Apollo Sauroktonos mit einem Gecko (ein Haftzeher aus der Familie der Eidechsen). Inmitten von freigelassenen Amphitheaterraubtieren steht Apollo und hält einen an einer Pfote festgebundenen Gecko. Diesem Tier schrieb man eine prophylaktische Bedeutung zu. BARDO-MUSEUM (1927)

SOUSSE
Triomphe de Neptune. Le dieu de la mer est debout dans son char tiré par quatre hyppocampes sur une mer verdâtre.
MUSEE DE SOUSSE

SOUSSE
The triumph of Neptune. The god of the sea stands in his chariot which four sea-horses are drawing through a greenish sea.
SQUSSE MUSEUM

SOUSSE
Triumph des Neptun. Der Gott des Meeres steht auf einem Wagen, der von vier Seepferden durch ein grünliches Wasser gezogen wird.
MUSEUM SOUSSE

SOUSSE
Enlèvement de Ganymède. Le jeune berger, appelé à devenir l'échanson de Jupiter, est enlevé par l'aigle olympien.
MUSEE DE SOUSSE

SOUSSE
The arduction of Ganymede. The Olypian eagle carries off Ganymede, a young shepherd who was destined to become Jupiter's cupbearer.
SOUSSE MUSEUM

SOUSSE
Die Entführung Ganymedes. Der junge Schäfer, dem es bestimmt ist, Jupiters Mundschenk zu werden, wird von dem olympischen Adler entführt.
MUSEUM SOUSSE

THYNA
Amour ailé chevauchant un dauphin.
MUSEE DE SFAX

THYNA
A winged cherub sits astride a dolphin.
SFAX MUSEUM

THYNA
Ein beflügelter Amor reitet auf einem Delphin.
MUSEUM SFAX

SKHIRA
(au fond du golfe de Gabès)
Cette mosaïque ainsi que les suivantes proviennent d'une basilique paléochrétienne. A l'intérieur des deux panneaux, deux arcs portés par des colonnes torses abritent chacun deux grandes croix latines gemmées aux bras desquelles pendent des coupelles allumées. Des oiseaux décorent le haut des arcades.
MUSEE DE SFAX

SKHIRA (on the Gulf of Gabes)
This mosaic, and those which follow (178 - 180 and 181) come from an Early Christian basilica. On both panels there are two arches supported by twisted columns and beneath these arches there are huge, bejewelled Latin crosses from the arms of which hang burning lamps. The upper parts of ther arches are decorated with birds.
SFAX MUSEUM

SKHIRA
(im Golf von Gabes)
Dieses Mosaik sowie die folgenden (178-180 und 181) stammt aus einer frühchristlichen Basilika. In beiden Mosaikhälften sind innerhalb der beiden auf Säulen ruhenden Bögen jeweils zwei grosse mit Edelsteinen geschmückte lateinische Kreuze zu sehen, an deren Armen brennende Lampen hängen. Der obere Teil der Arkaden ist mit Vögeln verziert.
MUSEUM SFAX

SKHIRA
Le cerf représenté dans ce panneau symbolise le nouveau converti. Il décorait le baptistère de la basilique précédemment citée.
MUSEE DE SFAX

SKHIRA
The stag shown here symbolises a new convert. This panel decorated the baptistery of the basilica mentioned above
SFAX MUSEUM

SKHIRA
Der in diesem Mosaik dargestellte Hirsch ist Sinnbild des Neu-Bekehrten. Das Mosaik schmückt das Taufbecken der zuvor beschriebenen Basilika.
MUSEUM SFAX

TABARKA
Mosaïque tombale d'une Crescentia représentée en orante. Entre deux cierges avec deux colombes sur les épaules.
MUSEE DU BARDO (1890)

TABARKA
Tomb mosaic of Crescentia who is shown standing between two candles with two doves on her shoulders.
BARDO MUSEUM (1890)

TABARKA
Grabmosaik einer Crescentia, die betend zwischen zwei Kerzen und mit zwei Tauben auf der Schulter dargestellt ist.
BARDO-MUSEUM (1890)

SKHIRA
Pavement provenant de la même basilique. De part et d'autre d'un canthare d'où jaillissent deux rinceaux de roses, deux cerfs au pelage tacheté viennent s'abreuver. C'est l'allégorie du croyant venant s'abreuver aux fleuves du Paradis.
MUSEE DE SFAX

SKHIRA
Another pavement from the same basilica Two speckled stags come to drink from alarge Kantharoi from which spring two branches with roses. This panel illustrates the allegory of the believer who comes to quench his thirst at the rivers of Paradise.
SFAX MUSEUM

SKHIRA
Bodenmosaik aus derselben Basilika. Zwei gescheckte Hirsche stillen ihren Durst an einem grossen Kelch, aus dem zwei Rosenstöcke spriessen. Es versinnbildlicht den Gläubigen, der sich an dem Wasser der Flüsse des Paradieses erlabt.
MUSEUM - SFAX

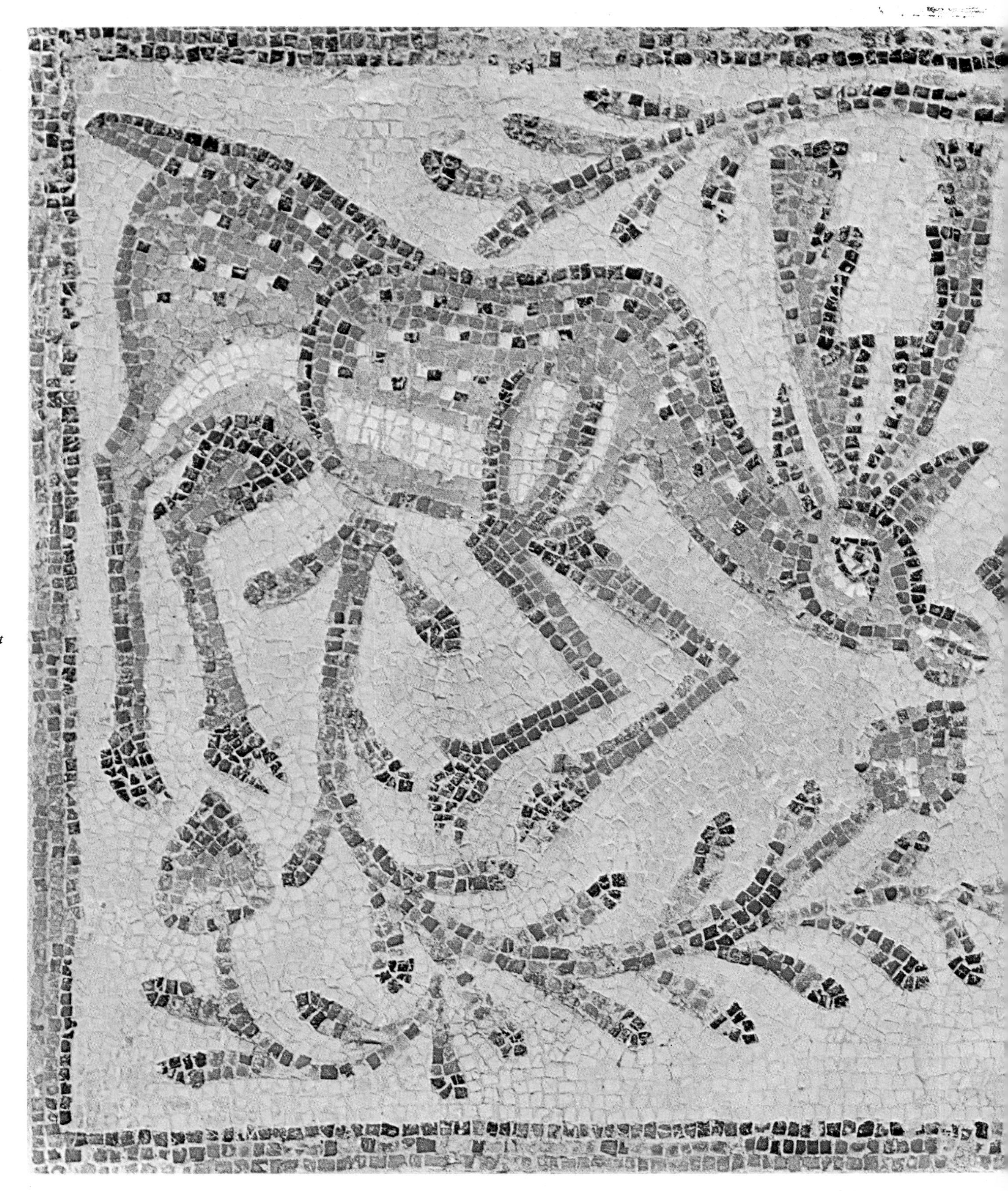

HENCHIR MESSADINE
Mosaïque funéraire chrétienne. Epitaphe de l'évêque Vitalis décorée avec des symboles eucharistiques : sous la couronne portant le nom du défunt, un couple de faisans et deux colombes s'abreuvant dans un vase.
MUSEE DU BARDO (1898) - 2,28 x 1,40

HENCHIR MESSADINE
Christian tomb mosaic bearing the epitaph of Bishop Vitalis, surrounded by a wreath, and decorated with Eucharistic symbols : two pheasants and two doves drinking from a vessel.
BARDO MUSEUM (1898)

HENCHIR MESSADINE
Christliches Grabmosaik. Epitaph des Bischofs Vitalis, verziert mit Abendmahlssymbolen : unter dem Kranz mit dem Namen des Verstorbenen laben sich ein Fasanenpaar und zwei Tauben an einer Vase.
BARDO-MUSEUM (1898) 2,28 x 1,40

Achevé d'imprimer sur les
presses des Imprimeries Réunies
10, av. A. Azzam - 1002 Tunis
Janvier 2007